鈴木靖民
佐藤長門 編

翻刻・影印 天平諸国正税帳〔影印編〕

八木書店

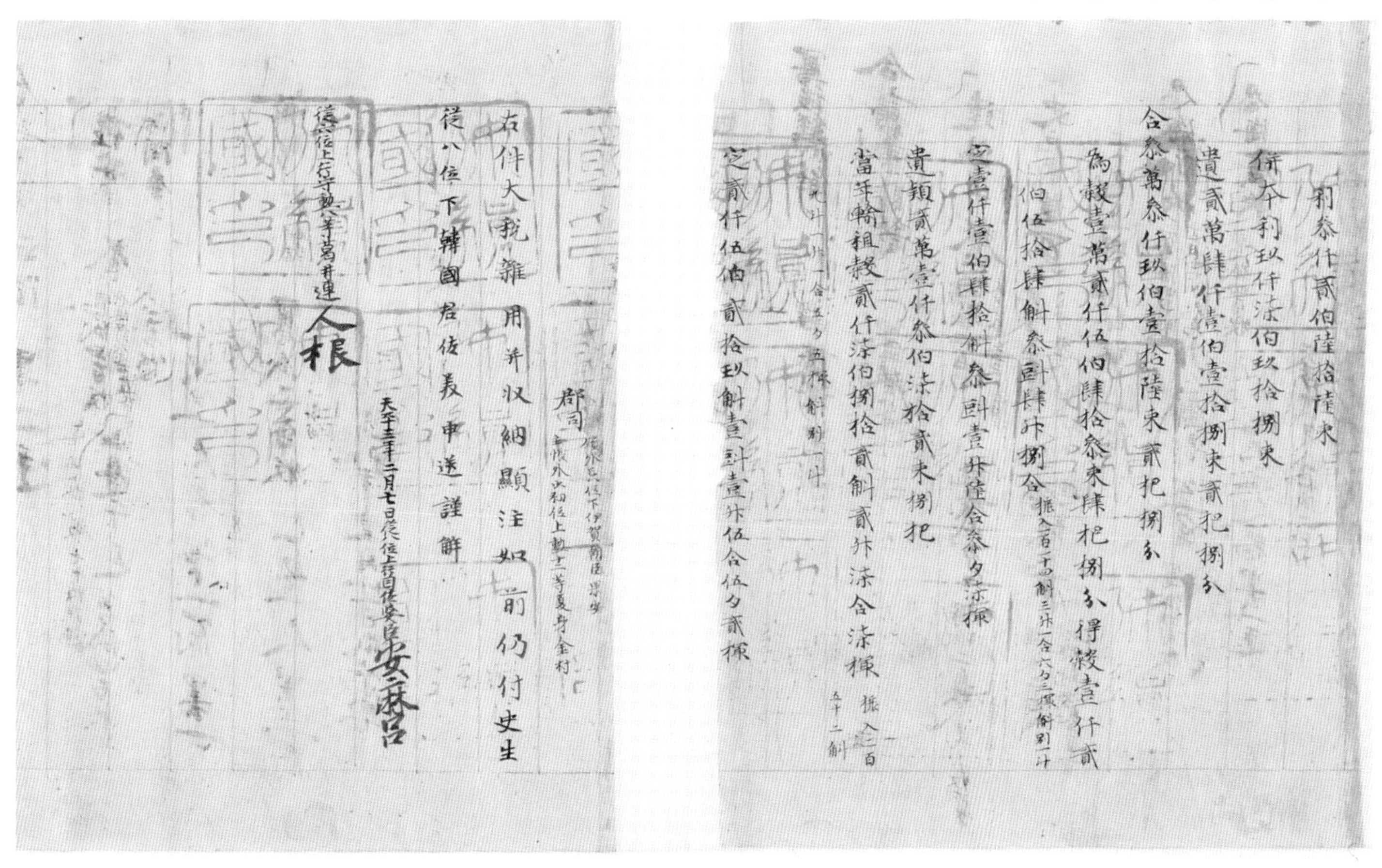

口絵１　05 伊賀国大税帳 天平二年度（1～17 行〔全〕）（正集巻 15。右：1～11 行・第１紙〈A 断簡〉。左：12～17 行・第２紙～第３紙〈B 断簡〉）

A断簡は伊賀国全体に関わる首部の中間の記事、B断簡は末尾の伊賀国司の署名部分で、現存する断簡は以上が全て。B断簡右端の小片（12 行・第２紙。大日本古文書未収）の欠損文字は続々修第 32 帙第５巻第８断簡の右端（第 10 紙）に左文字で附着している。

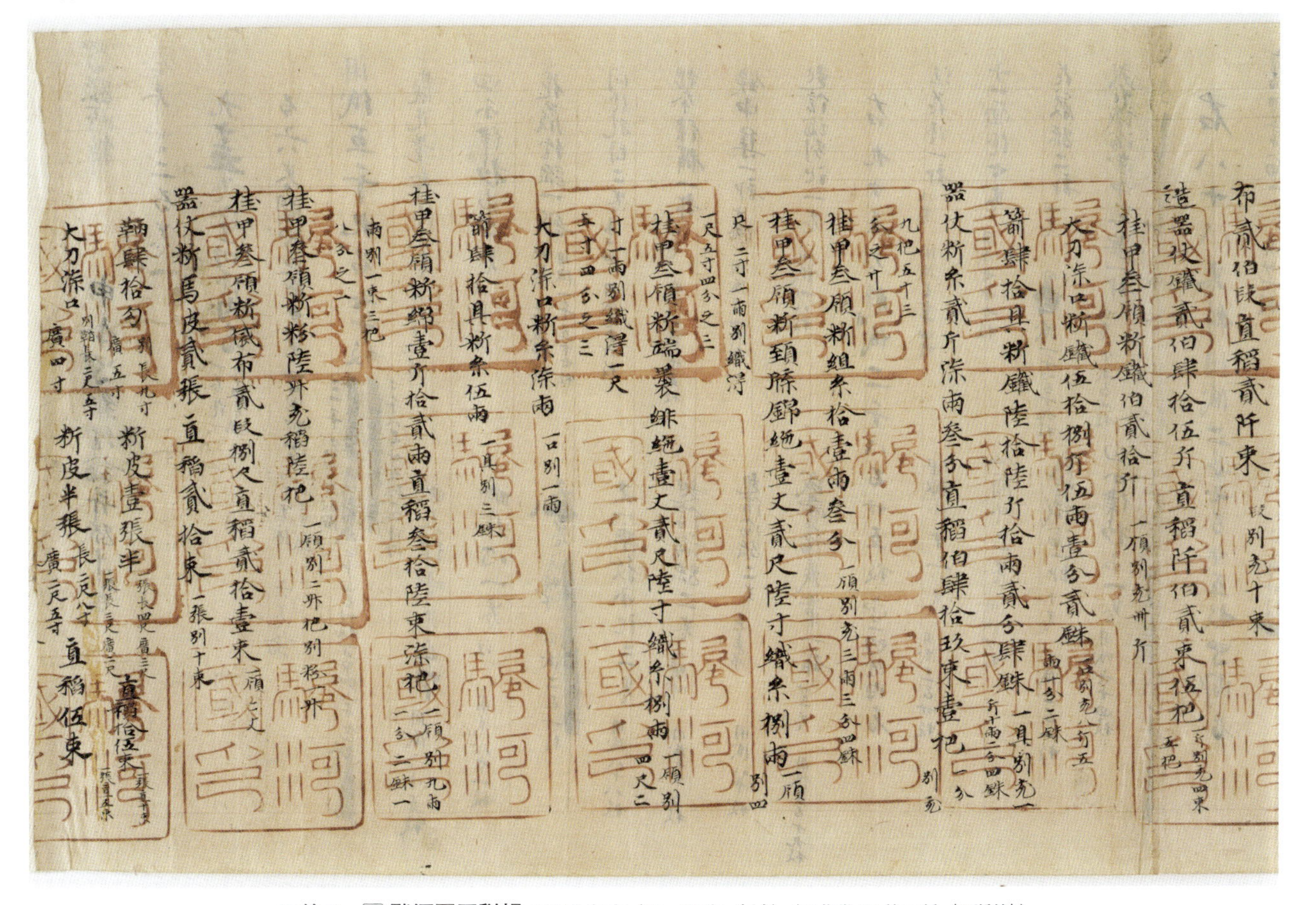

口絵２　08 駿河国正税帳 天平九年度（18〜38行〔止〕）（正集巻17第3紙〈B断簡〉）

B断簡には、天平九年度の器仗（挂甲・大刀・箭・鞆）製作に必要な鉄・糸・布・馬皮などの購入が記されている。駿河国正税帳は、天平十年度帳も現存し、同一国で連続年度の正税帳の異同が考察できる。

9　8　7　6　5　4　3　2　1　　18　17　16　15　14　13　12　11　10　9　8　7　6　5　4　3　2　1

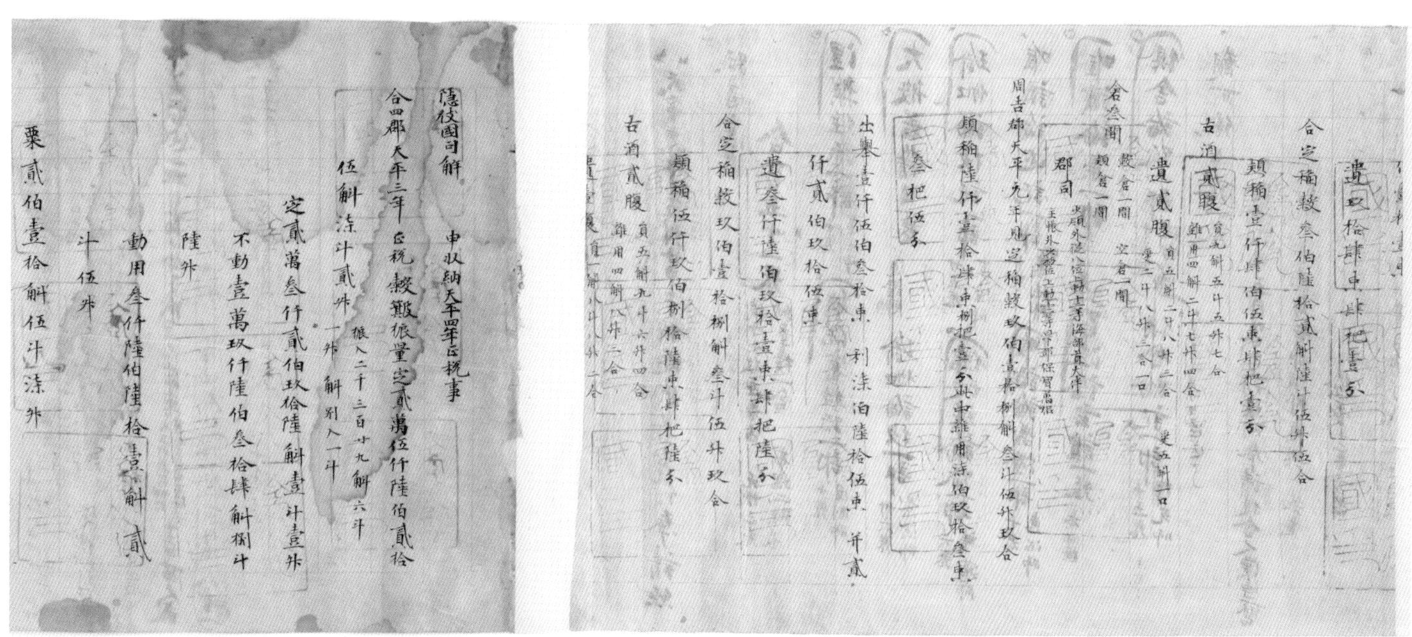

隠伎國司解　申収納天平四年正税事
合四郡天平三年正税穀穎振量定貳萬伍仟陸伯貳拾
伍斛漆斗貳升　振入二千三百廿九斛六斗一升　斛別入一升
定貳萬参仟貳伯玖拾陸斛壹斗壹升
不動壹萬玖仟陸伯参拾肆斛捌斗
陸升
動用参仟陸伯陸拾壹斛貳
斗伍升
粟貳伯壹拾斛伍斗漆升

遺四拾肆束肆把壹分
合定稲穀参伯陸拾貳斛陸斗伍升伍合
穎稲壹仟肆伯伍束肆把壹分
古酒貳腹　員九斛五斗五升七合　雑用四斛二斗七升四合
遺貳腹　員五斛二斗八升二合　受二斗八升三合一口　受五斛一口
倉参間　穀倉一間　空倉一間　穎倉一間
郡司　少領外従八位上勲十二等海部直大伴　主帳外少初位上勲十二等日下部保智麻呂
周吉郡天平元年見定稲穀玖伯壹拾捌斛参斗伍升玖合
穎稲陸仟壹拾肆束捌把壹分此中雑用穎陸伯玖拾参束
参把伍分
出挙壹仟伍伯参拾束　利漆伯陸拾伍束　并貳
仟貳伯玖拾伍束
遺参仟陸伯玖拾壹束肆把陸分
合定稲穀玖伯壹拾捌斛参斗伍升玖合
穎稲伍仟玖伯捌拾陸束肆把陸分
古酒貳腹　員五斛九斗六升四合　雑用四斛八升二合

口絵３　（左）⑰ 隠岐国正税帳 天平四年度（1～9 行）（正集巻 34 第２紙〈A 断簡〉）／**（右）⑯ 隠岐国郡稲帳** 天平二年度（1～18 行〔全〕）（正集巻 34 第１紙〈A 断簡〉）

正集第 34 巻全９紙は、第１紙が天平二年度隠岐国郡稲帳の海部郡（推定）の末尾から周吉郡の冒頭。第２紙～第９紙が天平四年度の隠岐国正税帳で、「隠伎国司解　申収納天平四年正税帳事」から末尾の書止まで、続く国司位署と中間部各断簡間の若干行の脱落を除いて、ほぼ完全に残っている正税帳として貴重なものである。

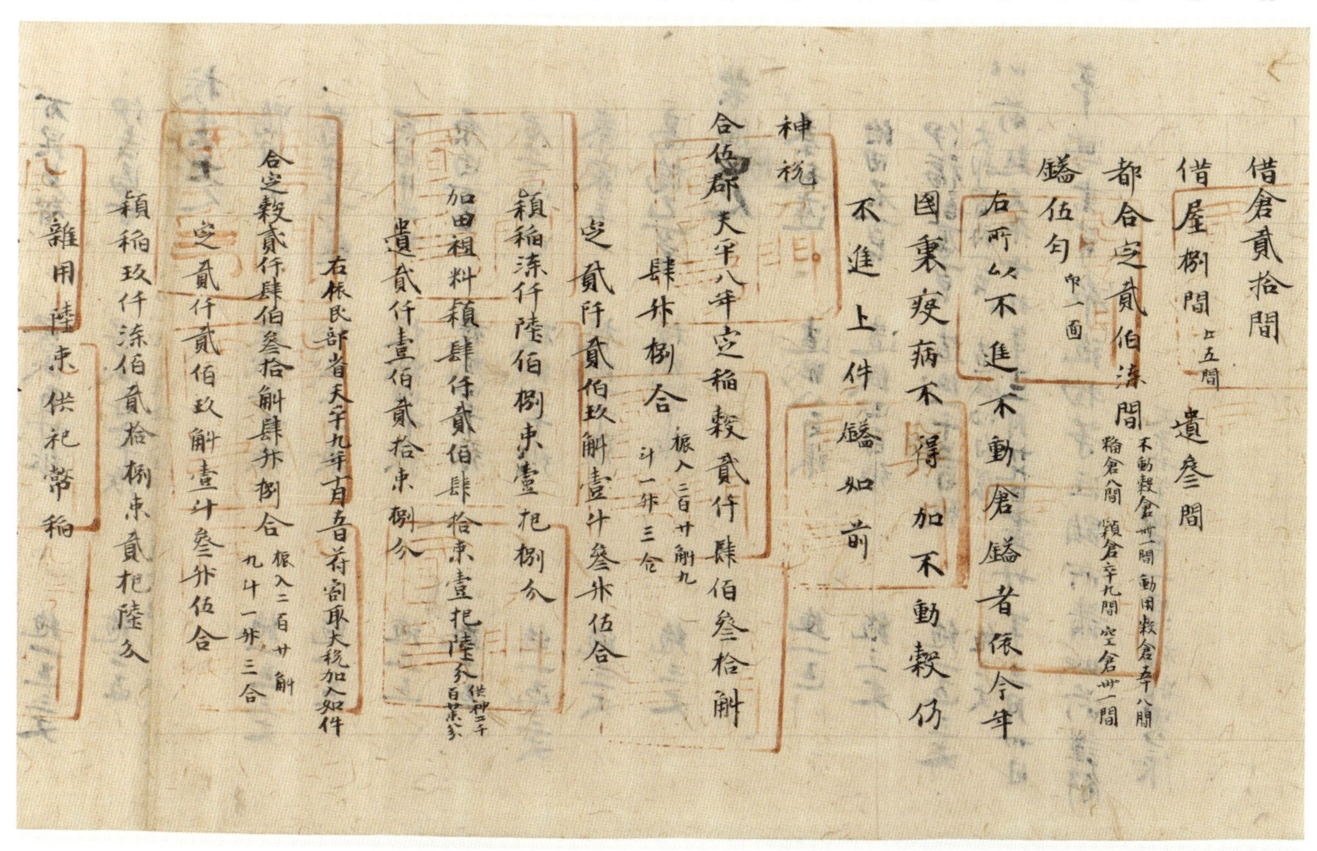

口絵４　㉑長門国正税帳 天平九年度（68～86行）（正集巻36第13紙～第14紙〈C断簡〉）

C断簡は、中間より一国全体の神税について書き上げている。その直前には、疫病流行によって不動穀を加増できず、不動倉の鑰を中央に進上できないことが記されている。天平期の天然痘大流行の一端を示す。

『翻刻・影印　天平諸国正税帳』〔影印編〕　目次

カラー口絵

口絵1　05 伊賀国大税帳　天平二年度
口絵2　08 駿河国正税帳　天平九年度
口絵3　(右)16 隠岐国郡稲帳　天平二年度／(左)17 隠岐国正税帳　天平四年度
口絵4　21 長門国正税帳　天平九年度

01 左京職正税帳　天平十年度……1
02 大倭国大税帳　天平二年度……3
03 摂津国正税帳　天平八年度……21
04 和泉監正税帳　天平九年度……25
05 伊賀国大税帳　天平二年度……43
06 尾張国大税帳　天平二年度……47
07 尾張国正税帳　天平六年度……51
08 駿河国正税帳　天平九年度……61
09 駿河国正税帳　天平十年度……69
10 伊豆国正税帳　天平十一年度……87
11 越前国大税帳　天平二年度……97
12 越前国郡稲帳　天平四年度……107
13 佐渡国正税帳　天平四年度……119
14 佐渡国正税帳　天平七年度以降……121

15 但馬国正税帳 天平九年度 …… 125
16 隠岐国郡稲帳 天平二年度 …… 137
17 隠岐国正税帳 天平四年度 …… 139
18 播磨国郡稲帳 天平四年度以前 …… 149
19 周防国正税帳 天平六年度 …… 153
20 周防国正税帳 天平十年度 …… 159
21 長門国正税帳 天平九年度 …… 177
22 紀伊国大税帳 天平二年度 …… 187
23 淡路国正税帳 天平十年度 …… 193
24 伊予国正税出挙帳 天平八年度 …… 199
25 筑後国正税帳 天平十年度 …… 203
26 豊後国正税帳 天平九年度 …… 207
27 薩摩国正税帳 天平八年度 …… 221

01 左京職正税帳　天平十年度

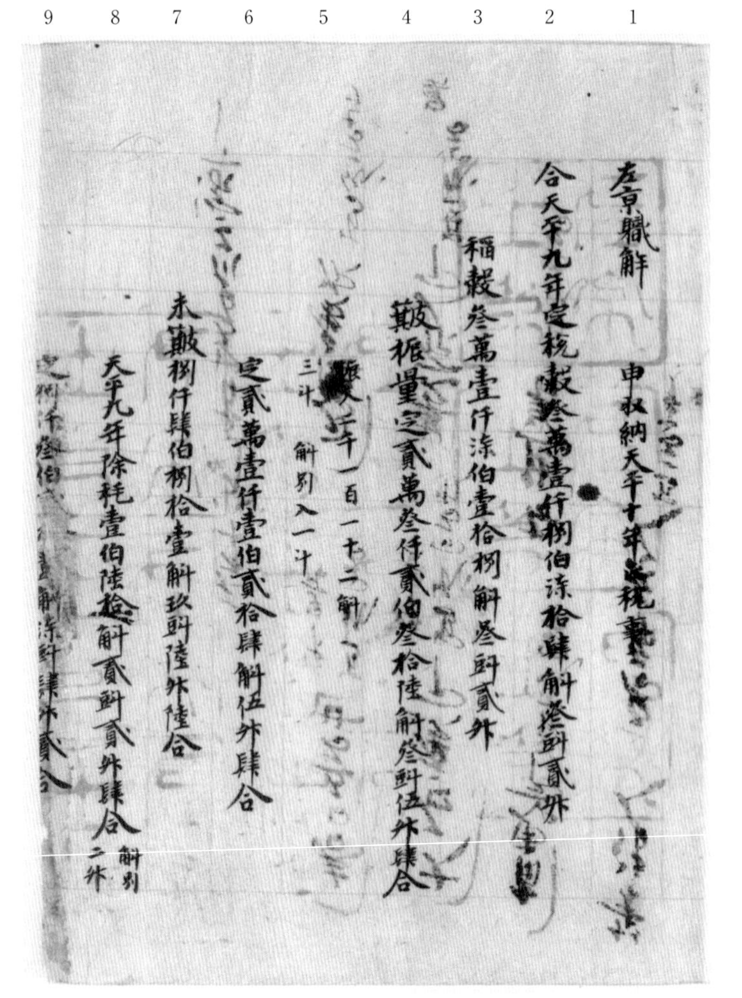

左京職解　申収納天平十年正税事

合天平九年定税穀參萬壹仟捌伯漆拾肆斛參𣂁貳升

稲穀參萬壹仟漆伯壹拾捌斛參𣂁貳升

穀振量定貳萬參仟貳伯參拾陸斛參𣂁伍升肆合

定貳萬壹仟壹伯貳拾肆斛伍升肆合

未穀捌仟肆伯捌拾壹斛玖𣂁陸升陸合

天平九年除耗壹伯陸拾斛貳𣂁貳升肆合　斛別二升

02 大倭国大税帳　天平二年度

1 養老二年檢欠穀壹仟肆佰伍拾玖斛
2 伍斗肆升參合
3 穎稲參仟參佰貳拾壹束捌把半
4 養老四年檢欠香山正倉穀壹佰漆
5 拾貳斛漆斗漆升
6 宇智郡欠穎壹仟貳佰伍拾陸束
7 養老七年檢欠香山正倉穀貳佰伍
8 拾玖斛漆升
9 合稲穀捌萬伍仟貳佰陸拾肆斛肆斗漆升伍合
10 粟壹佰貳拾壹斛參斗
11 穎稲伍萬漆佰漆拾漆束漆把
12 酒漆拾瓺 之別五斛
13 正倉壹佰肆拾壹間 不動穀倉二間 穀倉廿二間 穎倉廿三間 雑色稲納倉八十四間
14 廿九所神戸穀陸佰漆拾貳斛壹斗陸升壹合 神龜元年以前
15 耗壹拾參斛壹斗漆升陸合 斛別二升
16 定陸佰伍拾捌斛玖斗捌升伍合 替依稲陸仟
17 伍佰捌拾玖束捌把半 穎稲肆萬肆仟陸佰伍
18 拾束把半 租貳仟玖佰捌拾貳束肆把半

正10(2)　B/正10(1)　A/正10(3)

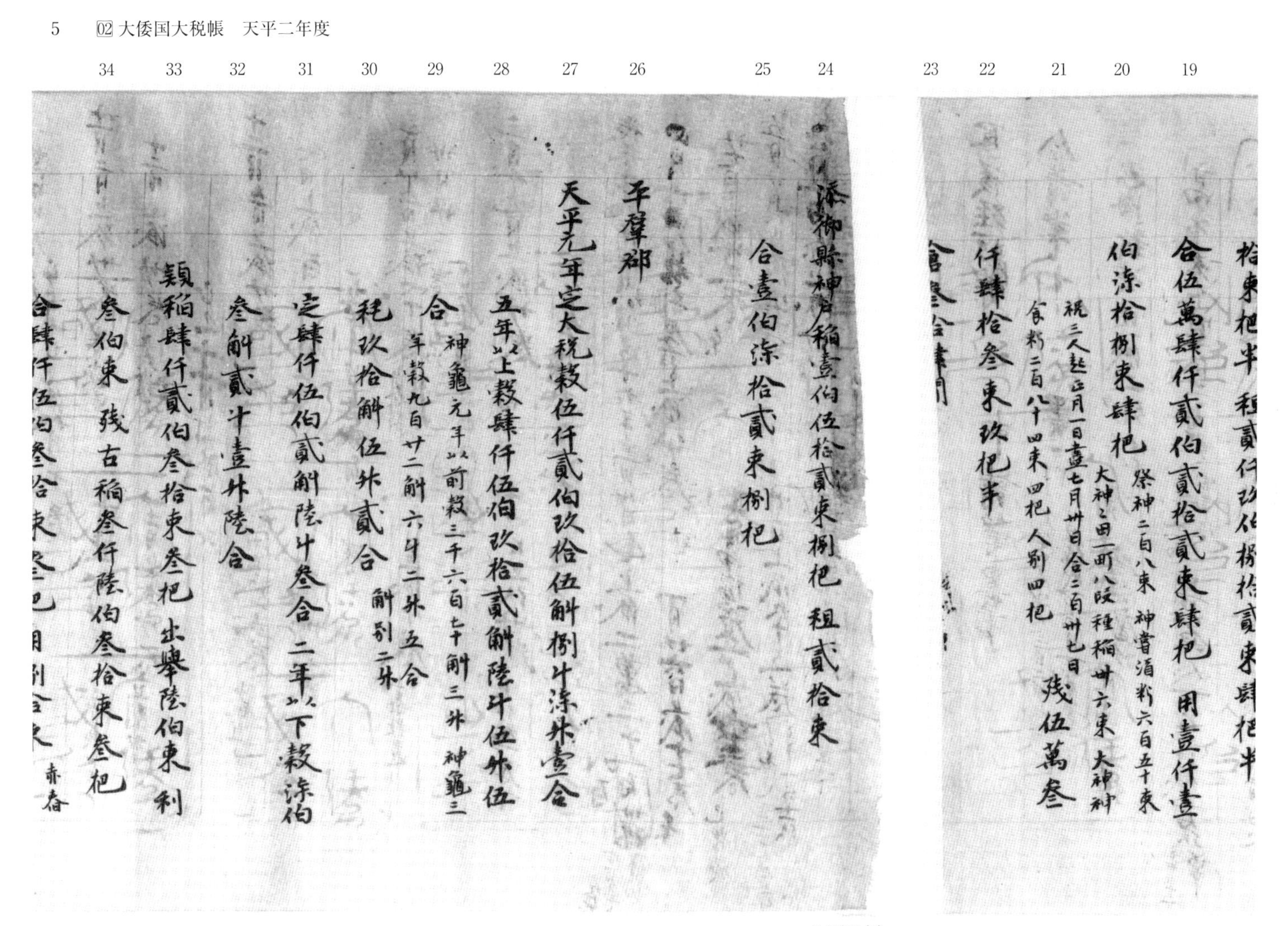

拾束把半　租貳仟玖伯捌拾貳束肆把半

19 合伍萬肆仟貳伯貳拾貳束肆把　用壹仟壹

20 伯漆拾捌束肆把　祭神二百八束　神嘗酒料六百五十束　大神二田一町八段種稲卌六束　大神神

21 祝三人起正月一日盡七月卅日合二百卅七日　食料二百八十四束四把人別四把　残伍萬參

22 仟肆拾參束玖把半

23 倉參合

24 添御縣神戸稲壹伯伍拾貳束捌把　租貳拾束

25 合壹伯漆拾貳束捌把

26 平群郡

27 天平元年定大税穀伍仟貳伯玖拾伍斛捌斗漆升壹合

28 五年以上穀肆仟伍伯玖拾貳斛陸斗伍升伍

29 合　神亀元年以前穀三千六百七十斛三升　神亀三年穀九百廿二斛六斗二升五合

30 糒玖拾斛伍升貳合　斛別二升

31 定肆仟伍伯貳斛陸斗參合　二年以下穀漆伯

32 參斛貳斗壹升陸合

33 穎稲肆仟貳伯參拾束參把　出擧陸伯束　利

34 參伯束　残古稲參仟陸伯參拾束參把

合肆仟伍伯參拾束參把　赤春

35 合肆仟伍伯参拾束参把　用捌拾束　赤舂米四斛料
36 残肆仟肆伯伍拾束参把　以山稲貳伯参拾束漆
37 把替依官奴婢食料稲穀貳拾参斛漆升
38 以山稲伍伯貳拾捌束参把替依地子稲穀伍
39 拾貳斛捌斗貳升漆合　残参仟陸伯玖拾
40 壹束参把　軽税銭直稲穀伍拾参斛捌斗
41 玖升　神亀二年以前穀　耗壹斛伍升漆合　斛別二升
42 定伍拾貳斛捌斗参升参合　輸租貳伯玖拾
43 玖斛玖斗貳升　神戸二斛三斗六升　公納貳伯玖拾
44 漆斛伍斗陸升　穎納玖伯肆拾壹束漆把
45 伍伯貳拾伍束陸把半替依廣瀬郡郡稲穀
46 残肆伯拾陸束把半　穀納貳伯参斛参斗玖
47 升　粮納十八斛四斗九升　斛別一斗　定壹伯捌拾肆斛玖斗
48 納廣瀬郡百十二斛二斗六升九合　納葛下郡廿斛一斗一升六合　残伍拾貳斛伍斗壹升伍合
49 養老二年検欠穀壹伯肆拾捌斛陸斗参升
50 陸合　穎稲壹伯肆拾壹束
51 合稲穀伍仟参伯捌拾漆斛陸升肆合
52 穎稲肆仟壹伯漆束参把半

穎稲肆仟壹伯漆束参把半

53 酒陸斛　以別五斛

54 正倉陸間　穀倉一間　穎倉二間　雑色稲納倉三間

55 二所神戸稲陸伯伍拾束伍把　租貳拾参束陸把

56 合陸伯漆拾肆束壹把

57 往馬神戸稲貳伯壹拾玖束漆把　租壹拾参束陸把

58 合貳伯参拾参束参把

59 龍田神戸稲肆伯参拾束捌把　租壹拾束

60 合肆伯肆拾束捌把

61 廣湍郷

62 天平元年定大税穀陸仟玖伯参斛肆斗玖升伍合

63 五年以上穀陸仟陸伯壹拾斛参斗壹升参合

64 神亀元年以前六千百九十八斛二斗三升三合

65 漆把　合捌仟伍伯伍拾伍束陸把　用伍伯伍拾

66 捌束肆把　神祭八十八束　神嘗酒料百卅束　神田一町八段　種稲卅六束　祝三人起正月一日盡七月卅日合二百

67 卅七箇日食料二百八十四束四把人別二把　残漆仟玖伯玖拾漆束貳把

68 倉伍間

倉伍間

69 大神神戸穀貳伯壹拾漆斛漆斗肆升貳合　耗四斛二斗七升 斛別二升

70 定貳伯壹拾参斛肆斗漆升貳合替依稲貳仟壹伯

71 参拾肆束漆把　穎稲壹仟漆伯捌拾伍束玖把　租伍

72 伯伍拾伍束壹把　合肆仟肆伯漆拾伍束漆把

73 用肆伯伍拾陸束肆把　祭神卅六束　神嘗酒料百束　神田一町八段種稲卅六束　祝部三人食料二百

74 八十四束四把　残肆仟壹拾玖束参把

75 参向神戸稲伍拾貳束捌把　租参拾参束貳把

76 合捌拾陸束　用肆束 祭神　残捌拾貳束

77 穴師神戸稲壹仟参伯伍束捌把　租壹伯参拾束貳把

78 合壹仟肆伯参拾陸束　用漆拾肆束　祭神廿四束 神嘗酒料五十束

79 残壹仟参伯陸拾貳束

80 長谷山口神戸穀参拾参斛伍斗参升　耗六斗五升八合 斛別二升　定参拾

81 貳斛捌斗漆升貳合替依稲参伯貳拾捌束漆把

82 穎稲壹伯玖拾壹束　租貳拾玖束参把半　合伍伯肆

83 拾玖束肆把半　用肆束 祭神　残伍伯肆拾伍束肆把半

84 志貴御縣神戸穀玖拾貳斛参斗捌升　耗一斛八斗一升 斛別二升　定玖拾

85 斛伍斗漆升替依玖伯伍束漆把　穎貳伯捌拾玖束

斛伍斗漆升替依玖伯伍束漆把　穎貳伯捌拾玖束

86 捌把租壹伯伍拾陸束参把　合壹仟参伯伍拾壹

87 束捌把用肆束　祭神　残壹仟参伯肆拾漆束捌把

88 忍坂神戸穀捌斛壹升　耗一升五合　定漆斗玖升伍合

89 他田神戸穀壹斛壹斗捌升　定壹斛壹斗陸升替

90 依壹拾壹束陸把　穎稲伍拾捌束肆把　租貳拾束

91 貳把合玖拾束貳把　用肆束　祭神　残捌拾陸束貳把

92 生根神戸穀玖斛伍斗伍升　耗二斗九升 斛別二升　定玖斛参斗陸升

93 替依稲玖拾参束陸把　穎稲伍拾壹束玖把

94 租伍束参把　合壹伯伍拾束捌把　用肆束　祭神

95 残壹伯肆拾陸拾陸束捌把

96 佐為神戸穀壹拾参斛伍斗貳升　耗二斗六升七合 斛別二升　定壹拾参斛

97 貳斗伍升参合替依稲壹伯参拾貳束伍把半

98 穎稲壹伯肆拾陸束漆把　租参拾束　合参伯玖束貳把

99 半　用肆束　祭神　残参伯伍束貳把半

100 十市郡

101 天平元年定大税穀壹仟陸伯玖拾肆斛伍斗玖升参合

天平元年定大税穀壹仟陸伯玖拾肆斛伍斗玖升参合

五年以上穀壹仟貳伯斛玖斗貳升　神龜元年以前穀一千廿五斛九

十二升神龜三年百七十五斛　斛別二升　耗貳拾参斛伍斗肆升捌合

定壹仟伯柒拾柒斛参斗柒升貳合

三年以上穀参伯壹拾捌斛陸斗柒升参合

神龜四年百八十九斛七斗七升三合　神龜五年百廿八斛九斗　耗陸斛貳斗肆升

玖合　斛別二升　定参伯壹拾貳斛肆斗貳升肆合

二年以下穀壹伯柒拾伍斛

頴稲壹仟柒伯玖拾束陸把　出挙壹仟壹伯肆拾束

陸把　身死八人負稲四百八十束　定納本陸伯陸拾束陸把

利参伯参拾束参把　残古稲陸伯伍拾束

合壹仟陸伯肆拾束玖把　用肆拾束

小麦一斛直廿束久志麻知　神田一町種稲廿束　残壹仟陸伯束玖把

輸租壹伯捌拾斛壹斗貳升　神戸十八斛三斗一升

公納壹伯陸拾壹斛捌斗壹升　振納十四斛七斗一升

定壹伯肆拾柒斛壹斗　山邊郡穀束参拾壹

斛陸斗貳升壹合　添上郡租頴陸仟参伯貳

拾捌束伍把替依乞田稲穀陸伯参拾貳斛捌

斗柒升壹合

119 廾肆斛陸合

120 養老二年檢欠穀陸拾陸斛参斗

121 合稲穀貳仟肆伯柒拾陸斛参斗陸升参合

122 頴稲壹仟陸伯束玖把

123 酒肆甕　之別五斛

124 正倉捌間　穀倉一間　頴倉一間　雑色稲納倉六間

125 六所神戸稲壹萬貳仟捌伯伍束壹把半　租壹伯捌拾参束

126 壹把　合壹萬貳仟玖伯捌拾捌束貳把半　用柒拾

127 捌束　祭神廾八束　神嘗酒料五十束　殘壹萬貳仟玖伯壹拾束貳把半

128 倉参間

129 太神戸稲壹萬伍伯伍拾貳束伍把　租壹伯参拾捌束肆把

130 合壹萬陸伯玖拾束玖把　用伍拾捌束　祭神八束　神嘗酒料

131 五十束　殘壹萬陸伯参拾貳束玖把

132 十市御縣神戸稲壹仟伍拾貳束　租貳拾束　合壹仟

133 柒拾貳束　用肆束　祭神　殘壹仟陸拾捌束

134 石村山口神戸稲捌伯壹束　租壹拾束　合捌伯壹拾壹

135 束　用肆束　祭神　殘捌伯柒束

136 目原神戸稲貳伯陸拾伍束　租陸束　合貳伯柒拾壹

137 束　用肆束　祭神　残貳伯陸拾漆束

138 畝尾神戸稲捌拾陸束　租肆束　合玖拾束　用肆束

139 祭神　残捌拾陸束

140 耳梨山口神戸稲肆拾捌束陸把　租肆束漆把　合伍拾

141 参束参把　用肆束　祭神　残肆拾玖束参把

142 城下郡

143 天平元年定大税漆仟玖伯貳拾貳斛参斗肆升伍合

144 五年以上穀肆仟壹拾漆斛伍斗捌升陸合

145 神亀元年以前三千八百七斛九斗四升八合　神亀三年二百九斛六斗三升八合　耗漆拾捌斛

146 漆斗漆升陸合　斛別二升　定参仟玖伯参拾捌

147 斛捌斗壹升

148 三年以上穀陸伯伍拾漆斛肆斗漆升捌合

149 神亀四年三百廿八斛二斗二升九合　神亀五年三百廿九斛二斗四升九合　耗陸斛伍斗壹升

150 斛別一升　定陸伯伍拾斛玖斗陸升捌合

151 二年以下穀参仟貳伯肆拾漆斛貳斗捌升壹合

152 穎稲伍仟伍伯参拾陸束肆把　出挙貳仟陸伯伍拾

153 漆束肆把　身死十六人負稲三百卅六束　定納本貳仟

154 參伯壹拾壹束肆把　利壹仟壹伯伍拾伍束

155 柒把　殘古稲貳仟捌伯柒拾玖束　合陸仟

156 參伯肆拾陸束壹把　用壹伯肆拾束

157 赤舂米六斛料百廿束　小麦一斛直廿束　以稲伍伯陸拾肆束參把半

158 替依郷稲穀伍拾陸斛肆斗參升伍合　以稲

159 陸伯肆拾肆束貳把替依地子稲穀陸拾肆

160 斛肆斗貳升　以稲貳仟壹伯玖拾參束壹

161 把半替依乇田稲穀貳伯壹拾玖斛參斗

162 壹升陸合　殘稲貳仟捌伯肆束肆把　輕税

163 銭直稲壹伯玖拾伍束　輸租肆伯柒拾壹斛

164 陸斗肆升　神戸十二斛三斗三升　公納肆伯伍拾玖斛

165 參斗壹升　穎納捌伯柒拾肆束　穀納參伯柒拾

166 壹斛玖斗壹升　振納卅三斛八斗一升　斛別一斗　定參伯參拾捌

167 斛壹斗

168 養老二年検欠穀貳伯參拾玖斛陸斗柒升

169 參合

170 合稲穀捌仟伍伯壹拾伍斛參斗參升

171 穎稲参仟捌伯漆拾参束肆把

172 酒伍甕〻別五斛

173 正倉壹拾陸間　穀倉四間　穎倉三間　雑色稲納倉九間

174 三所神戸稲弐伯伍拾捌束弐把　租壹伯弐拾参束参把

175 合参伯捌拾壹束伍把　用壹伯壹拾弐束　祭神十二束

176 神嘗酒料百束　残弐伯陸拾玖束伍把

177 池神戸稲壹拾陸束　租陸拾壹束　合漆拾漆束　用伍拾

178 肆束　祭神四束　神嘗酒料五束　残弐拾参束

179 鏡作神戸稲弐伯弐拾玖束　租弐拾壹束参把

180 合弐伯伍拾束参把　用肆束　祭神　残弐伯肆拾

181 陸束参把

182 村屋神戸稲壹拾参束弐把　租肆拾壹束　合伍拾肆束

183 弐把　用伍拾肆束　祭神四束　神嘗酒料五十束　残弐把

184 山邊郡

185 天平元年定大税穀捌仟捌伯伍拾伍斛弐升捌合

186 五年以上穀陸仟捌伯漆拾漆斛捌斗陸升陸合

187 神亀元年以前六千卅斛六斗四升二合　神亀三年八百卅七斛二斗二升四合　斛別二升　耗壹伯参拾肆

斛捌斗陸升壹合　定陸仟漆伯肆合参

188 斛捌斗陸升壹合 斛別二升 定陸仟漆伯肆拾參

189 斛伍合

190 三年以上穀壹仟漆伯漆拾漆斛壹斗陸升貳合

191 神龜四年千百七十六斛三斗八升 神龜五年六百斛七斗八升二合 耗壹拾漆斛伍斗

192 玖升陸合 斛別一升 定壹仟漆伯伍拾玖斛伍斗陸

193 升陸合 移納高市郡漆拾漆斛壹斗漆升壹

194 合 城上郡貳拾陸斛玖斗伍升伍合 殘壹

195 仟陸伯伍拾伍斛肆斗肆升

196 二年以下穀貳伯斛 移納宇陀郡壹伯壹拾

197 捌斛壹斗壹升 十市郡參拾壹斛陸斗貳

198 升壹合 高市郡伍拾斛貳斗陸升玖合

199 穎稲貳仟壹伯肆拾肆束 出擧壹仟肆伯貳拾

200 肆束捌把 身死九人負稲二百卆束 未納壹仟束

201 定納本壹伯漆拾肆束捌把 利捌拾漆束

202 肆把 殘古稲漆伯壹拾玖束貳把 輕税錢

203 直稲肆伯伍拾肆束參把半 合壹仟肆伯參

204 拾伍束漆把半 用貳伯束 小麦一斛直廿束 赤舂米四斛料八十束

205 賀麻伎種稲百束 以 稲壹仟捌拾貳束玖把

206 替依官奴婢食料穀壹伯捌斛貳斗捌升

替依官処分食料穀壹伯捌斛貳斗捌升

207 捌合 山人稲壹伯肆束参把替依地子稲穀

208 壹拾斛肆斗貳升柒合　残肆拾捌束伍把半

209 輸租肆伯柒拾参斛柒斗貳升　神戸廿四斛六斗六升

210 公納肆伯肆拾玖斛陸升　穎替移城上郡神戸

211 穀参仟陸拾壹拾肆束捌把　城上郡郡稲

212 穀替移柒伯玖拾伍束肆把　城上郡地子穀

213 替依捌拾束肆把

214 養老二年検欠穀肆拾貳斛貳斗捌升捌合

215 穎稲壹伯貳拾伍束捌把

216 合稲穀捌仟伍伯壹拾柒斛壹斗陸升

217 穎稲肆拾捌束伍把半

218 酒陸瓱　之別五斛

219 正倉捌間　穀倉一間　穎倉一間　不動穀倉一間　雑色稲納倉五間

220 五所神戸稲伍仟肆拾伍束伍把半　租貳伯肆拾陸束

221 陸把合伍仟貳伯玖拾貳束壹把半　用壹伯壹拾

222 陸束　祭神十六束　神嘗酒料百束　残伍仟壹伯柒拾陸束壹把半

223 倉陸間

224 振神戸稲参仟陸伯捌拾捌束伍把　租壹伯貳拾肆束

桃神戸稲叁仟陸伯捌拾捌束伍把　租壹伯貳拾肆束

225 伍把合叁仟捌伯壹拾叁束　用肆束　祭神　残叁

226 仟捌伯玖束

227 大倭神戸稲玖伯肆拾玖束　租玖拾貳束　合壹仟肆拾

228 壹束　用壹伯肆束　祭神四束　神嘗酒料百束　残玖伯叁拾柒束

229 山邊御縣神戸稲貳伯陸拾貳束把半　租壹拾束

230 合貳伯柒拾貳束把半　用肆束　祭神　残貳伯陸拾

231 捌束把半

232 廣瀬川合神戸稲壹拾束　租壹拾束　合貳拾束

233 都祁神戸稲壹伯叁拾陸束　租壹拾束壹把　合壹伯肆拾

234 陸束壹把　用肆束　祭神　残壹伯肆拾貳束壹把

235 添上郡

236 天平元年定大税穀捌仟捌伯貳拾斛貳斗貳升貳合

237 五年以上穀陸仟陸伯玖拾捌斛肆斗陸升壹合

238 神龜元年以前六千五百十八斛四斗六升一合　神龜三年百八十斛　耗壹伯叁拾

239 壹斛叁斗肆升壹合　斛別二升　定陸仟伍伯陸拾柒斛壹斗貳升

240 三年以上穀壹仟柒伯玖拾叁斛肆斗叁升壹合

三年以上穀壹仟肆伯玖拾叁斛肆斗叁升壹合

241 神亀四年一千百三斛一斗三升一合／神亀五年六百九十斛三斗　耗壹拾陸斛陸斗伍

242 升陸合　斛別一升　定壹仟漆伯漆拾伍斛陸斗陸升

243 肆合　用肆伯斛　依六月十日省符給正四位下長田王三百斛／依六月七日省符給従五位上田口朝臣家主百斛

244 残壹仟叁伯漆拾伍斛陸斗漆升肆合

245 二年以下穀叁伯貳拾捌斛叁斗叁升

246 頴稲肆仟壹伯伍拾捌束漆把　出挙貳仟伍伯叁拾

247 伍束漆把　身九十四人負稲六百束　定納本壹仟玖伯

248 叁拾伍束漆把　利玖伯陸拾漆束捌把半

249 残古稲壹仟陸伯貳拾叁束

250 合肆仟伍伯貳拾陸束伍把半　用肆伯漆束壹

251 把　赤舂米八斛料白六十束　小麦一斛直廿束　太詔神田／一町種稲廿束　中衛府作佃田三町種稲六十束

252 進元日酒四斛一斗三升料七十二束三把　依十二月九日太政官符／請受戒寺仏聖僧并僧三躯供養料四束捌把

253 市施布三端一段／直卅束　残肆仟伯拾玖束肆把半　以稲肆伯

254 玖拾漆束壹把半替依神戸穀肆拾玖斛漆斗

255 壹升伍合　残叁仟陸伯玖拾捌束壹把　輕税

256 銭直稲肆伯肆拾捌束伍把　輸租捌伯肆拾

257 漆斛肆斗貳升　神戸卅六斛五斗　公納捌伯叁

258 拾斛玖斗貳升　穎人山陸仟参伯貳拾捌束伍

259 把替依十市郡屯田稲穀定納穎壹仟玖伯

260 捌拾束漆把

261 霊亀二年所進穀貳伯漆拾肆斛参升漆合漆夕

262 養老二年検欠穀貳伯伍拾参斛伍斗玖升伍合

263 陸夕　穎稲壹仟玖伯伍拾捌束

264 合稲穀捌仟参伯貳拾斛捌斗参升玖合

265 穎稲陸仟伍拾壹束伍把

266 酒壹拾参甕　別五斛

267 正倉壹拾陸間　穀倉三間　穎倉五間　雑色稲納倉八間

268 二所神戸穀伍拾斛漆斗玖合　神亀元年以前　耗玖斗玖升

269 肆合　斛別二升　定肆拾玖斛漆斗壹升伍合替依稲肆

270 伯玖拾漆束壹把半　穎稲伍伯壹拾束参把

271 租壹伯陸拾伍束　合壹仟壹伯漆拾貳束肆把

272 半用伍拾捌束　祭神八束　神嘗酒料卅束　定壹仟壹拾肆束肆

273 把半

274 丸神戸穀伍拾斛漆斗玖合　耗九斗九升四合　定肆拾玖斛漆

275 斗壹斗壹升伍合替依稲肆伯玖拾漆束壹把半

（右端欠）斗壹升壹升伍合皆依和[illegible]伯玖拾[illegible]束壹把半

276 頴肆伯伍拾貳束　租壹伯壹拾叁束　合壹仟

277 陸拾貳束壹把半　用肆束 神祭　残壹仟伍拾捌

278 束壹把半

279 葛足神戸稲伍拾捌束叁把　租伍拾貳[illegible]　[illegible]伯壹

280 拾束叁把　用伍拾肆束 祭神四束 神嘗酒料五十束　残伍拾陸束

281 叁把

282 以前収納大税穀頴并神戸租等数具録如前謹解

283 天平二年十二月廿日従七位上行大目勲十二等[illegible]宿祢[illegible]

284 従四位下行守大宅朝臣大国　正六位上行大掾勲十二等城上連真立

285 [illegible]勲十二等[illegible]朝臣[illegible]　正六位上行少掾都濃朝臣光弁

03 摂津国正税帳　天平八年度

者合定穀陸仟貳伯柒拾陸斛伍[illegible]合

定伍仟柒伯伍斛玖斗捌升柒合　斗九升九合

不動貳仟捌伯貳拾肆斛伍斗玖升

動用貳仟捌伯捌拾壹斛叁斗玖升柒合

穎稲肆仟貳伯叁拾陸束肆分

醸酒貳拾貳斛柒斗捌升　新五斛　古十七斛七斗八升

役民料酒貳拾伍斛　古

天平三年未納本柒伯陸拾肆束　債稲死百姓一人免稲十束

遺柒伯伍拾叁束

天平三年未納本壹伯柒拾陸束

天平四年未納本伍伯玖拾貳束柒把　債稲死百姓二人　免稲廿八束六把

遺伍伯陸拾肆束壹把

正倉壹拾壹間　凡倉　不動穀倉三間　動用穀倉五間　納義倉二間　穎倉二間　破倉一間

西成郡

天平七年定穀壹萬貳仟貳伯貳拾肆斛陸斗陸升柒夕伍撮

不動肆仟叁伯叁拾壹斛柒斗捌升玖合　未量

動用柒仟捌伯玖拾貳斛捌斗柒升壹合柒夕伍撮

量[illegible]叁升陸合壹夕伍撮

合柒仟玖伯陸拾斛柒合玖夕

高年鰥寡惸獨等人伍伯拾叁人　年八十已上十三人　八十已上卅四人　年九十已上二百

[illegible]

20 21 22 23 24 25 26 27 28 29 30 31 32 33

三人鰥寡惸獨篤疾癈疾不能自存等
上卅四人年歳已上二百
給穀肆伯伍拾玖

二百廿五人　合病七人　病僧十人
斛壹斗

遺壹萬壹仟捌伯參拾貳斛陸斗玖升陸合玖夕

粮八千七百五斛六斗
九升九合九夕

定壹萬柒伯伍拾陸斛　玖斗玖升柒合

不動參仟玖伯參拾柒斛玖斗玖升

動用陸仟捌伯壹拾玖斛柒合

穎稲玖仟捌伯參拾貳束肆分

挍乗貳伯壹束陸分

合壹萬參拾參束壹把

縣釀酒貳拾斛陸斗伍升

役民料酒參拾斛

雜用稲貳伯捌拾伍束　酒五斛釀料七十束　傳食料七十八束八把

雜掌粮壹伯參拾陸束貳把

04 和泉監正税帳　天平九年度

21 20 19 18 17 16 15 14 13 12 11 10 9 8 7 6 5 4 3 2 1

[illegible]
出挙參萬束
貧死伯姓伍伯伍拾參人　免税壹萬參仟陸拾束
未納貳仟壹拾貳束　貧伯姓壹伯參拾捌人
定納穎稲貳萬貳仟參伯玖拾貳束　本一万四千九百廿八束 利七千四百六十四束
借貸參仟伍伯參拾肆束
當年應輸租穀依天平九年八月十三日恩　勅免訖
遺穎稲參萬伍仟玖伯漆拾貳束肆把捌分
死傳馬皮肆張　直稲肆拾束　張別十束
合定稲穀肆萬參仟陸伯壹拾貳斛壹升漆合壹勺參撮　未振
穎稲陸萬壹仟玖伯參拾捌束肆把捌分
雜用壹萬肆仟參伯壹拾肆束參把陸分々之伍
穀捌伯玖拾陸斛貳斗
穎伍仟參伯伍拾貳束參把陸分々之伍
依民部省天平九年四月廿一日符急戸捌拾玖烟口貳伯
捌拾貳人　男九十四人 女一百八十八人　賑給稲穀捌拾玖斛捌斗　廿六人別 五斗
三百五十六 人別三斗
依五月十九日恩　勅賑給高年鰥寡惸獨等人惣壹仟
陸伯壹拾陸人　稲穀陸伯伍拾肆斛肆斗　僧[illegible]斗 僧七人別四 斗 百年已上二人別
一斛 九十年已上十六人別八斗 八十年已上九十四人 鰥一百七十四人 寡九百 六十九人 惸三百廿八人 獨廿五人 合一千五百九十人別四斗
依九月廿八日恩　勅賑給高年八十年已上壹伯貳拾

(21) 依九月廿八日恩勅賑給高年八十年已上壹伯貳拾

22 伍人 稲穀壹伯伍拾貳斛 百年三人別三斛 九十年廿一人別二斛 八十年一百一人別一斛

23 納民部省等料交易麦壹拾肆斛 大麦四斛 小麦十斛 直稲貳

24 伯捌拾束 麦一斛別廿束

25 難波宮雇民粮米貳拾貳斛料稲肆伯肆拾束

26 傳馬肆疋 上一疋 中三疋 直稲柒伯肆拾束 上馬二百束 中馬別百卅束

27 依例正月十四日貳寺讀金光明經捌巻最勝王經拾

28 巻合壹拾捌巻日佛聖僧肆軀并讀僧拾捌口合貳

29 拾貳軀惣供養料稲伍拾束壹把陸分 佛聖僧并讀僧十八口合廿二軀〻

30 別飯料四把雑餅并油等料一束八把八分

31 依民部省天平九年十月九日符給大鳥連大麻呂造地

32 黄蒴所米柒斛 料稲壹伯肆拾束

33 依民部省天平九年十二月廿三日符進上縣釀酒陸斛

34 柒斗伍升料稲壹伯壹拾捌束壹把貳分〻之伍

35 依民部省天平九年十一月十二日符官奴婢食料米壹

36 拾玖斛玖斗陸升伍合 料稲參伯玖拾玖束參把

37 依民部省天平九年十月五日符神戸調銭伍伯陸

38 拾柒文 料割充稲柒拾束捌把伍分

39 神戸田租料割充稲貳伯柒拾伍束陸把伍分

(41) 40 依民部省天平九年九月十二日符交易進上[illegible]

42 把 酒參升

43 傳馬價直充正　将従参人　経参箇日　食稲参

44 東玖把　酒参升

45 巡行部内教導伯姓正　令史　史生貳人　将従柒人

46 経捌箇日　食稲貳拾伍束肆把　酒貳斗肆

47 外

48 監月料充正　令史　史生壹人　将従陸人　貳度

49 経捌箇日　食稲貳拾陸束陸把　酒貳斗肆

50 外肆合

51 和泉宮御田苅稲收納正　将従参人　経貳箇

52 日　食稲貳束陸把　酒貳升

53 徴納正税正　将従参人　貳度　経参拾貳箇日

54 食稲肆拾壹束陸把　酒参斗貳升

55 封正倉正　将従参人　経壹拾参箇日　食稲壹

56 拾陸束玖把　酒壹斗参升

57 催伯姓産業　令史　将従貳人　貳度　経壹拾箇日

58 食稲壹拾束　酒壹斗

59 責計帳手實正　将従参人　経参箇日　食稲参束

60 玖把　酒参升

61 撿挍栗子正　将従参人　経壹箇日　食稲壹束参

C/正13(5)　正13(4)

62 把　酒壹升

63 傳馬價充正　将従參人　經壹箇日　食稲壹束

64 參把　酒壹升

65 巡行部内教導百姓正　令史　史生貳人　将従柒人

66 經貳箇日　食稲柒束肆把　酒柒升貳合

67 監月料充正　令史　史生壹人　将従陸人　貳度

68 經貳箇日　食稲陸束　酒伍升陸合

69 徴納正税正　将従參人　貳度　經拾貳箇日　食稲壹

70 拾伍束陸把　酒壹斗貳升

71 封正倉正　将従參人　經參箇日　食稲參束玖把

72 酒參升

73 合酒糟捌斗柒升伍合　給修理池人夫貳伯玖拾貳人　別三合

74 給盡

75 天平五年未納壹仟玖伯貳拾玖束捌把　穀百卅六斛四斗　穎五百六十五束八把

76 天平四年未納伍仟柒伯伍拾陸束柒把

77 天平二年未納伍伯柒拾束

78 右三箇年未納依天平九年八月十三日恩　勅免訖

79 天平四年前監所給借貸未納伍伯陸拾陸束伍把　故正　田邊

80 史首名二百廿束五把　主政土師宿祢廣國三百卌六束

81 欠酒貳拾伍斛柒斗柒升　舊佐丹比宿祢足継可償未進

82 合遺定穀壹萬伍仟參伯玖拾貳斛伍升捌合捌夕壹撮　未振

83 撿官物日量計所欠貳拾柒斛玖斗肆升　動用

84 依令経五年已上壹斛聽耗貳升料除壹拾陸斛

85 合所欠壹拾壹斛玖斗肆升

86 定壹萬伍仟参伯陸拾肆斛壹斗壹升捌合捌夕壹撮

87 散振量計收所入壹仟参伯玖拾陸斛柒斗参升捌合柒撮

88 振定壹萬参仟玖伯陸拾柒斛参斗捌升柒夕

89 不動壹萬貳仟伍伯貳拾柒斛柒斗柒升

90 動用壹仟肆伯参拾玖斛陸斗壹升柒夕

91 定穎稲貳萬肆仟伍伯陸拾貳束肆把捌分

92 消陸拾伍斛

93 減賸壹拾参口　〻別受五斛

94 正倉貳拾柒間　不動八間　動用二間　穎稲五間　借納放生稲一間　空十一間

95 屋貳宇　並穎稲

96 不動　東第壹板倉　長一丈六尺九寸　廣一丈五尺九寸　高一丈五寸　塞　長五尺二寸　廣四尺　積高一丈二寸

97 稲穀捌伯玖拾壹斛　振入八十一斛　振定捌伯壹拾斛　底數穎

98 動用　稲壹伯参拾柒束　養老六年正正六位上奈貴首百足

99 東第貳板倉　長一丈七尺四寸　廣一丈四尺五寸　高一丈五寸　塞　長五尺二寸　廣四尺二寸　積高九尺七寸

100 天平八年税帳定稲穀柒伯貳拾捌斛壹斗貳升柒合貳夕捌撮

101 天平六年佑從八位上主師宿祢比良夫收納者　天平十年二月廿日量計應定稲穀

102 捌伯斛玖斗肆升　未振　欠貳拾柒斛玖斗肆升

103 依令経五年已上壹斛聽耗貳升料除壹拾陸斛

104 合所欠壹拾壹斛玖斗肆升　振入二斛二斗七升

105 見定柒伯柒拾参斛 振入壱斛二斗七升 振定柒伯貳斛柒斗

106 貳升柒合貳夕 天平九年正従六位上勲十二等黄文連伊加麻呂 主政外従七位上土師宿祢廣濱

107 動用 東第参板倉 長一丈九尺 五尺 廣一丈 高一丈一尺九寸 塞 長五尺七寸 廣三尺三寸 積 高一丈四寸

108 天平八年帳定稲穀玖伯柒拾肆斛伍斗壹升玖合陸夕 天平八年 正正六位上 三人

109 勲十二等御使連乙麻呂収納者

110 依天平九年五月十九日恩勅賑給高年僧并鰥寡

111 惸独等人壹伯玖拾貳斛肆斗

112 依天平九年九月廿八日恩勅賑給高年八十已上等陸拾玖

113 斛

114 遺柒伯壹拾参斛壹斗壹升玖合陸夕 返納振入貳拾陸斛壹

115 斗肆升 振入二斛二斗七升六合二夕六撮 振定貳拾参斛柒斗陸升参合陸夕

116 合遺定稲穀柒伯参拾陸斛捌斗捌升参合柒夕 天平九年正従六位上勲十二等

117 黄文連伊加麻呂 主政外従七位上土師宿祢廣濱

118 東第肆板倉 長一丈七尺 廣一丈二尺一寸 高九尺三寸 空

119 振定壹万玖仟捌伯貳拾斛壹斗玖升柒合伍夕

120 不動壹万肆仟陸伯貳拾玖斛柒斗陸升肆合伍夕陸撮

121 動用伍仟壹伯玖拾斛肆斗参升貳合玖夕肆撮

122 穎稲貳万貳伯陸拾柒束伍把捌分乙乙伍

123 酒陸拾伍斛

124 甕壹拾参口 乙別受五斛

125 正倉貳拾間 不動十間 動用二間 穎三間 空四間 借納義倉一間

D/正13(10)

正13(9)

[illegible]倉貳拾間　空四間　借納義倉一間

126 屋參宇　穎稲二宇　空一宇

127 穴師神戸税天平八年定穎稲參仟陸伯伍拾柒束玖把捌分

128 加納穎稲貳伯柒拾伍束陸把伍分　当年田租依天平九年八月十三日　恩勅免訖即依民部省天

129 平九年十月五日符　割充正税者

130 天平四年未納貳仟壹伯貳拾玖束　借貸者

131 合定穎稲參仟玖伯參拾參束陸把參分

132 用穎陸束　祭神料

133 遺定參仟玖伯貳拾柒束陸把參分

134 倉貳間　屋壹宇

135 動用　南院北第壹法倉　長七丈二尺　廣二丈一尺　高一丈四尺五寸　塞　長七尺　廣五尺六寸　積高八尺九寸　天平八

136 年帳定稲穀肆仟肆伯貳拾貳斛陸斗捌升陸合參夕　天平八年正正六位上

137 動十二等御使連乙麻呂收納者　天平十年二月廿八日量計應定稲穀肆仟捌

138 伯陸拾肆斛玖斗伍升肆合玖夕參撮　未振　所欠陸拾壹

139 斛捌斗捌升

140 見定肆仟捌伯參斛柒升肆合玖夕參撮　振入四百廿六斛六斗四升三合一夕七撮

141 振定肆仟參伯陸拾陸斛肆斗參升壹合柒夕　天平九年正従六位上　勲十二等黄文連伊

142 加麻呂　少領外従七位下珎縣主倭麻呂

143 不動　西第壹板倉　長二丈六尺四寸　廣一丈九尺四寸　高一丈二尺九寸　塞　長六尺七寸　廣四尺五寸　積高一丈五寸　稲穀

144 壹仟捌伯參拾柒斛　振入一百六十七斛　振定壹仟陸伯柒拾斛

145 底數穎稲貳伯壹拾捌束　養老六年正正六位上奈貴首百足

146 西第貳板倉　長一丈九尺　廣一丈七尺　高九尺　收納天平八年穎稲貳仟柒伯

(147) 依天平九年五月十九日恩勅賑給高年鰥寡惸獨

148 依天平九年五月十九日恩勅賑給高年鰥寡惸獨

149 等参伯壹拾斛肆斗

150 依天平九年九月廿八日恩勅賑給高年八十年已上伍拾

151 陸斛　遺涼伯玖拾斛陸斗玖升貳合壹夕　返納振

152 入参拾陸斛陸斗肆升　振入三斛三斗三升九夕一撮　振定参拾参斛

153 参升玖合壹夕

154 合遺定捌伯貳拾肆斛壹合貳夕　天平九年正月従六位上勲十二等黄文連伊加麻呂　大領外従七位下珎県主倭麻呂

155 不動　南第壹板倉　長二丈七尺　廣一丈九尺　寺　高一丈三尺五寸　塞　長六尺八寸　廣五尺五寸　積高一丈一尺八寸　稲

156 穀貳仟貳伯斛　振入二百斛　振定貳仟斛　底敷穎稲貳伯

157 捌拾参束　養老六年正六位上奈貴首百足

158 不動　南第参板倉　長二丈二尺八寸　廣一丈七尺七寸　高一丈二尺二寸　塞　長六尺四寸　廣四尺一寸　積高一丈八寸

159 稲穀壹仟伍伯玖拾伍斛　振入百卌五斛　振定壹仟肆伯伍拾斛

160 底敷穎稲貳伯壹拾貳束　養老六年正六位上奈貴首百足

161 東第壹丸木倉　長一丈三尺三寸　廣一丈四尺四寸　高六尺　空

162 東第貳丸木倉　長一丈四尺五寸　廣一丈一尺四寸　高六尺一寸　空

163 東第参丸木倉　長一丈四尺　廣一丈二尺　高六尺二寸　空

164 東第肆丸木倉　長一丈一尺四寸　廣一丈二尺五寸　高六尺　空

165 西壹屋　長四丈七尺　廣一丈六尺七寸　高一丈七寸　收納穎稲陸仟肆伯捌拾貳束　二千一百六十　七束三把二分　皆備一千卌四束

166 乞束三把二分　借儀一千卅四束　遺肆伯参拾柒束伍把捌分乙
雑用下二千一百卅三束把九分之五

167 伍　天平九年正従六位上勲十二等黄文連伊加麻呂
少領外従七位下珎県主倭麻呂

168 西第貳屋　長四丈六尺　廣一丈七尺　高一丈　収納穎稲壹仟貳伯伍拾玖束陸把捌

169 分　出挙下盡　空

170 南院北屋　長四丈二尺　廣一丈六尺二寸　高一丈一尺　収納天平八年穎稲陸仟捌伯漆拾

171 参束　出挙下盡　収納天平九年穎稲捌仟貳伯玖拾捌束　死傳

172 鳥皮二張直廿束　天平九年正従六位上勲十二等黄文連伊加麻呂
正税八千二百七十八束　少領外従七位下珎県主倭麻呂

173 穴師神税

174 合定穎稲参仟玖伯貳拾柒束陸把参分

175 東第壹丸木倉　長一丈五尺二寸　廣一丈七尺　高六尺五寸　穎稲壹仟貳伯貳拾捌束壹

176 陸分　天平五年令史従八位下椎田連嶋麻呂
主帳无位珎県主深麻呂

177 東第参板倉　長一丈六尺　廣一丈四尺　高七尺八寸　古穎稲壹仟貳伯柒拾貳束　可得二升百

178 五千束　可得一斛九百九十二束
蕎而无穂百廿束

179 西屋壹宇　長二丈六尺四寸　廣一丈三尺　高七尺三寸　収納穎稲壹仟壹伯伍拾柒束捌把

180 貳分　加納天平九年田租穎稲貳伯陸拾玖束陸把伍分

181 合定穎稲壹仟肆伯貳拾柒束肆把柒分　天平九年正従六位上勲十二等黄文連伊加麻呂

182 少領外従七位下
珎県主倭麻呂

183 郡司　少領外従七位下珎県主倭麻呂

184 日根郡天平八年税帳遺㝎稲穀伍仟柒伯貳拾捌斛陸升捌夕陸撮
185 撤振量收所入伍伯貳拾斛柒斗参升貳合捌夕
186 振㝎伍仟貳伯柒斛参斗貳升捌合
187 不動貳仟参伯肆拾陸斛
188 動用貳仟捌伯陸拾壹斛参斗貳升捌合
189 穎壹萬参仟玖伯参拾参束壹把玖分
190 出擧捌仟束
191 負死伯姓柒拾捌人　免税壹仟捌伯壹拾束
192 未納壹仟陸伯肆拾陸束　負伯姓壹伯壹拾伍人
193 㝎納陸仟捌伯壹拾陸束　本四千五百卅四束　利二千二百七十二束
194 當年應輸租穀依天平九年八月十三日恩　勅免訖
195 遺穎稲伍仟玖伯参拾参束壹把玖分
196 死傳馬皮壹張　直稲壹拾束
197 合㝎稲穀伍仟柒伯貳拾捌斛陸升捌夕　未振
198 穎稲壹萬貳仟柒伯伍拾玖束壹把玖分
199 雜用参仟陸伯捌拾柒束壹把肆分　穀二百六十八斛四斗　穎稲一千三束一把四分
200 依民部省天平九年四月廿一日符急戸捌拾玖烟口貳
201 伯捌拾貳人　男九十四人　女一百八十八人　賑給稲穀捌拾玖斛捌斗　廿六人斛

…捌拾貳人　女一百六十八人　具給稻穀捌拾玖斛捌斗　人別
五斗　二百卅
六人別三斗
依五月十九日恩勅賑給僧并高年鰥寡惸獨等參
伯涤拾陸人　稻穀壹伯伍拾壹斛陸斗　有病僧二人別
八斗　八十年廿五人　鰥卅九人　寡二百十五人　四斗九十年三人別
惸九十人　獨二人　合三百七十一人別四斗
依九月廿八日恩勅高年八十年已上貳拾肆人賑
給稻穀貳拾涤斛　九十年三人別二斛　八十年已上廿一人別一斛

納民部省年料交易麦肆斛　大麦二斛　小麦二斛　直稻捌拾束
斛別　廿束
難波宮雇民粮米陸斛料稻壹伯貳拾束
傳馬壹疋　中　直稻壹伯捌拾束
依民部省天平九年十二月廿五日符進上縣醸酒壹斛涤
斗伍升　料稻參拾束陸把貳分之伍
依民部省天平九年十一月十三日符官奴婢食料進上米
伍斛玖斗陸升伍合　料稻壹伯壹拾玖束參把
依民部省天平九年十一月九日符給大嶋連大麻呂地
黄蘗料米貳斛　料稻肆拾束

218 依民部省天平九年十二月十三日符交易進上真莒壹

219 拾合　直稻壹伯貳拾束　合別十二束

220 監月料稻壹伯捌拾壹束　故令史　将従二人起天平九年正月一日 迄七月四日合一百八十一日々別一束

221 朝使單伍人　官人二人 従人三人　食稻壹束陸把　二人別四把 三人別三把　酒貳升

222 二人別 一升　料稻参把伍分

223 監廻行部内單参伯参拾陸人　官人一百十二人 従[illegible]廿四人　食稻壹伯

224 壹拾貳束　百十二人別四把 二百廿四人別三把　酒壹斛参升捌合　百一人別 一升 卌人

225 別八合　料稻壹伯捌束壹把陸分之伍

226 祭幣帛并大税使従七位下村國連廣田　将従貳人

227 従監史生壹人　将従壹人　経壹箇日　食稻

228 壹束陸把　酒壹升捌合

229 祭幣帛使位子无位丸連摩麻呂　将従壹人　従

230 監正　将従参人　経壹箇日　食稻貳束　酒

231 貳升

232 修理池史生壹人　将従壹人　経貳拾箇日　食稻壹

233 拾肆束　酒壹斗陸升

234 出挙正税正合史　史生壹人　将従陸人　貳度　経壹

235 拾壹箇日　食稻参拾参束　酒参斗捌合

正14(4)

拾壹箇日　食稲参拾参束　酒参斗捌合

236 難波宮雇民粮充　正　令史　史生壹人　将従陸人

237 経壹箇日　食稲参束　酒貳升捌合

238 催伯姓産業　令史　将従貳人　貳度　経壹拾箇

239 日　食稲壹拾束　酒壹斗

240 責計帳手実　正　将従参人　経参箇日　食稲参

241 束玖把　酒参升

242 検校粟手　正　将従参人　経壹箇日　食稲壹束参

243 把　酒壹升

244 傳馬價充　正　将従参人　経壹箇日　食稲壹

245 束参把　酒壹升

246 巡行部内教導伯姓　正　令史　史生壹人　将従陸

247 人　経肆箇日　食稲壹拾貳束　酒壹斗壹升

248 貳合

249 監月料充　正　令史　史生壹人　将従陸人　貳度

250 経肆箇日　食稲壹拾貳束　酒壹斗壹升貳合

251 徴納正税　正　将従参人　貳度　経壹拾箇日

252 食稲壹拾参束　酒壹斗

253 封正倉　正　将従参人　経伍箇日　食稲陸束伍把

254 酒伍升

255 合酒糟漆斗貳合　修理池人夫単貳伯参拾肆人　人別三合

256 少領別君豊麿日十一斛七斗四升四合三夕

257 主帳凡根造五百足九斛七斗

258 欠酒参拾玖斛参升捌合　前佑丹比宿祢足能可償未進

259 合遺定稲穀伍仟肆伯伍拾玖斛陸斗陸升捌夕　未振

260 糙振量収所入肆伯玖拾陸斛参斗参升貳合捌夕

261 振定肆仟玖伯陸拾参斛参斗貳升捌合

262 不動貳仟参伯肆拾陸斛

263 動用貳仟陸伯壹拾漆斛参斗貳升捌合

264 穎稲壹萬壹仟漆伯伍拾陸束把之伍分

265 酒肆拾斛

266 醎醢捌口　口別受五斛

267 正倉壹拾肆間　不動三間　動用一間　穎六間　空四間

268 屋貳宇　穎一宇　空一宇

269 不動 南第壹甲倉　長丈六尺四寸　廣一丈二尺　守高一丈一寸　塞　長三尺九寸　廣三尺四寸　積高九尺五寸　稲穀

270 陸伯伍斛　振入五斗　五斛　振定伍伯伍拾斛　歳数穎稲壹伯

271 肆拾参束　養老六年正正六位上奈貴首百足

272 南第貳丸木倉　長一丈三尺五寸　廣一丈二尺　高七尺　收納天平八年穎稲柒伯陸拾肆

273 束伍把　天平八年正正六位上勲十二等御使連乞麻呂　大領外正七位上勲十二等日根造玉纏

274 南第參丸木倉　長一丈九尺　廣一丈六尺　高九尺　收納天平八年穎稲貳仟參伯肆

275 束　出挙下三百五十九束四把八分　雑用一千三束一把四分　遺玖伯肆拾壹束參把捌分

276 天平九年正従六位上勲十二等黄文連伊加麻呂　擬主帳外従八位下日根造五百足

277 南第肆板倉　長一丈三尺三寸　廣一丈二尺五寸　高七尺五寸　空

278 西第壹丸木倉　長一丈四尺　廣一丈二尺五寸　高七尺　收納天平八年穎稲貳伯柒拾陸

279 束壹把柒分　天平九年正正六位上勲十二等御使連乞麻呂　大領外正七位上勲十二等日根造玉纏

280 西第貳甲倉　長一丈八尺　廣一丈六尺　高一丈一尺　收納天平八年穎稲壹仟柒伯參

281 拾捌束　天平八年正正六位上勲十二等御使連乞麻呂　大領外正七位上勲十二等日根造玉纏

282 北第壹丸木倉　長一丈四尺　廣一丈二尺一寸　高七尺　空

283 北第貳丸木倉　長一丈八尺　廣一丈五尺八寸　高九尺四寸　收納天平八年穎稲貳仟貳

284 伯壹束　出挙下盡　空

285 北第參板倉　長一丈八尺五寸　廣一丈六尺六寸　高一丈　收納天平九年穎稲壹仟柒伯

286 陸束　天平九年正従六位上勲十二等黄文連伊加麻呂　擬主帳外従八位下日根造五百足

287 北第肆板倉　長一丈八尺二寸　廣一丈六尺一寸　高九尺四寸　塞　長六尺六寸　廣四尺　積高九尺　稲

288 穀捌伯玖拾柒斛陸斗　振入八十一斛六斗　振定捌伯壹拾陸斛

289 底數穎稲壹伯貳拾伍束　養老六年正正六位上奈貴首百足

290　不動 北第伍甲倉 長一丈八尺 三寸 廣一丈五尺 高一丈二尺 塞 長四尺一寸 廣四尺 積高 一丈 尺 稲

291　穀壹仟柒拾捌斛 振入九十八斛 振定玖伯捌拾斛 底數

292　穎稲壹伯貳拾束 養老六年正正六位上奏貴首百足

293　動用 北第陸法倉 長六丈 廣二丈 高一丈三尺 六寸 塞 長七尺四寸 廣二尺四寸 積高七尺 天平

294　八年定稲穀貳仟捌伯陸拾壹斛参斗貳升捌合 天平八年正正

295　六位上勲十二等御使連乙麻呂 收納者

296　依民部省天平九年四月廿日符急戸賑給稲穀捌拾玖斛

297　捌斗

298　依五月十九日恩勅高年鰥寡惸獨壽人賑給稲穀壹

299　伯伍拾壹斛陸斗

300　依九月廿八日恩勅高年八十年已上賑給稲穀貳拾柒

301　斛 遺貳仟伍伯玖拾貳斛玖斗貳升捌合 返納賑入貳

302　拾陸斛捌斗肆升 振入二斛四斗四升 振定貳拾肆斛肆斗

303　合遺定貳仟陸伯壹拾柒斛参斗貳升捌合 天平九年正従

304　六位上勲十二等黄文連伊加麻呂 擬主帳外従八位下日根造五百足

305　東院北第壹丸木倉 長一丈一尺 廣一丈 高八尺 空

306　東院北第貳丸木倉 長一丈二尺五寸 廣一丈 四寸 高八尺 收納天平八年稲捌

307　伯貳拾貳束 天平八年正正六位上勲十二等御使連乙麻呂 大領外正七位上勲十二等日根造玉纏

308　東第壹屋 長二丈八尺 廣一丈 七尺 高一丈七尺 收納天平八年穎稲伍仟肆伯

参拾玖束伍把貳分 出擧盡 收納天平九年穎稲伍

309　310　311　312　313　314　315　316　317

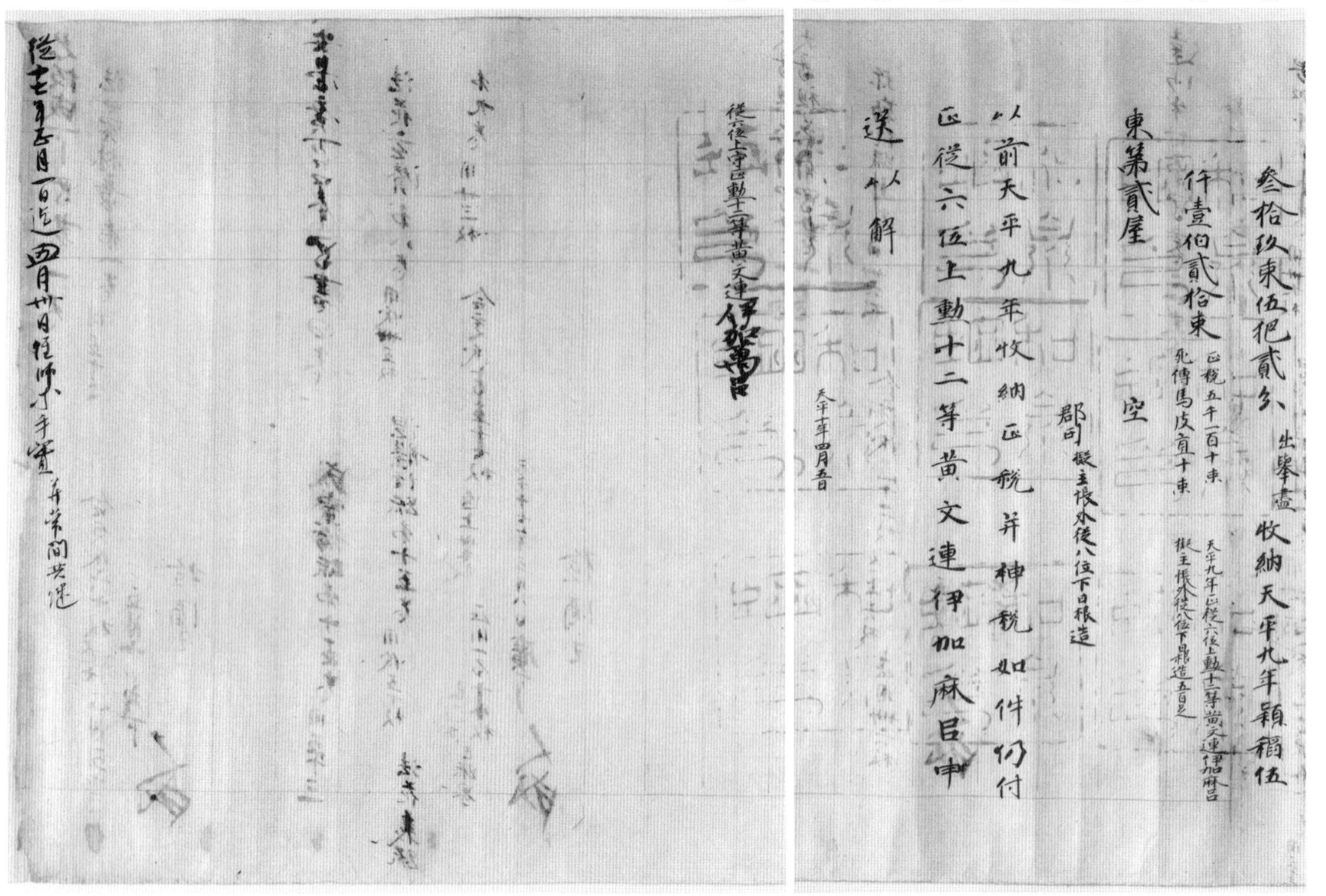

05 伊賀国大税帳　天平二年度

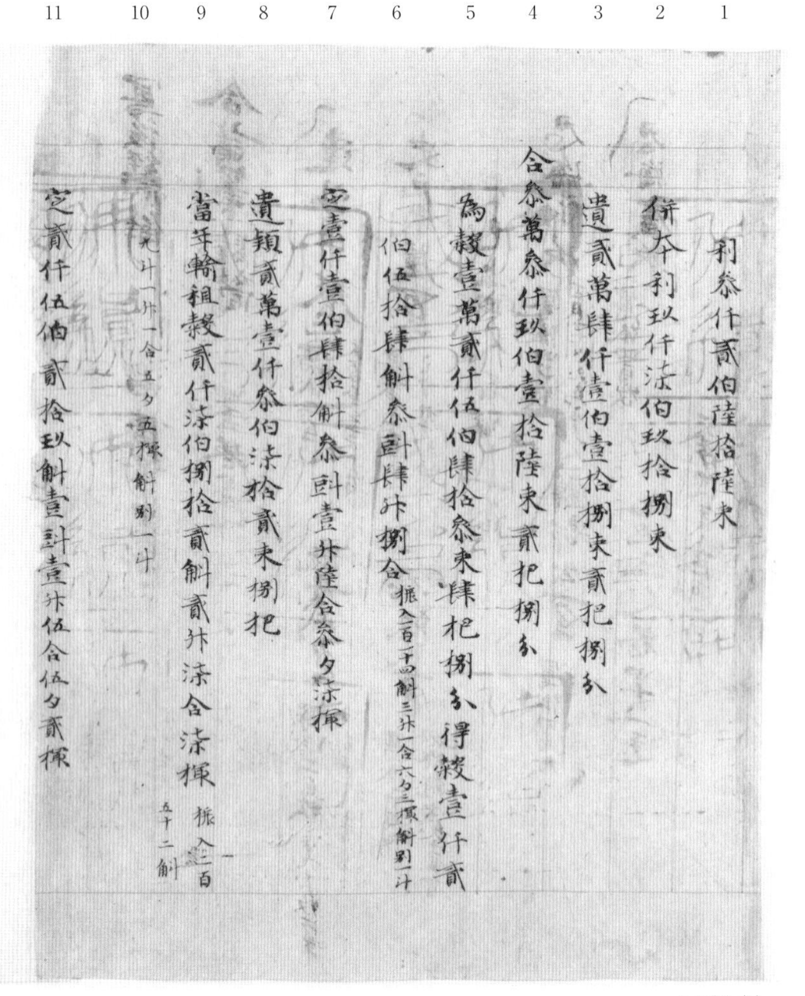

1 利參仟貳伯陸拾陸束
2 并本利玖仟柒伯玖拾捌束
3 遺貳萬肆仟壹伯壹拾捌束貳把捌分
4 合參萬參仟玖伯壹拾陸束貳把捌分
5 為穀壹萬貳仟伍伯肆拾參束肆把捌分　得穀壹仟貳
6 伯伍拾肆斛參斗肆升捌合　振入二百十四斛三升一合六夕三撮　斛別一斗
7 定壹仟壹伯肆拾斛參斗壹升陸合參夕柒撮
8 遺頴貳萬壹仟參伯柒拾貳束捌把
9 當年輸租穀貳仟柒伯捌拾貳斛貳升柒合柒撮　振入二百五十二斛
10 九斗一升一合五夕五撮　斛別一斗
11 定貳仟伍伯貳拾玖斛壹斗壹升伍合伍夕貳撮
12 郡司　領外正八位下伊賀朝臣果安
13 主帳外少初位上勲十二等夏身金村
14 右件大税雜用并収納顯注如前仍付史生
15 従八位下韓國君依表申送謹解
16 天平三年二月七日従八位上行目[illegible]臣安麻呂
17 従六位上行守勲八等葛井連大根

B/正15(2)
正15(3)
A/正15(1)

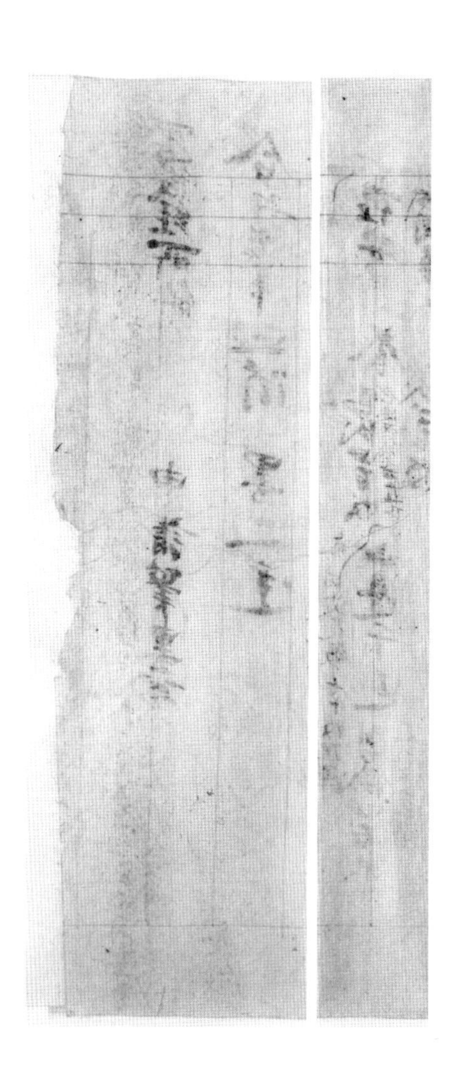

06 尾張国大税帳　天平二年度

都合定穀貳拾壹萬參阡參伯貳拾肆斛捌斗　千六万九千四百 卅四斛六斗不動

養老六年按察使撿定穀壹拾陸萬貳阡捌伯捌斛捌斗

緣振所入一万六千二百九十八斛九斗八升

神龜元年以還穀伍萬伍仟壹拾陸斛　緣振所入五千二百 卅九斛五斗九升

頴稲肆拾柒萬伍阡肆伯壹拾陸束陸把捌分半

古稲貳阡壹伯柒拾陸斛參斗肆升壹合

醤壹拾肆斛壹斗柒升伍合

末醤貳斗壹升

正倉壹伯伍拾壹間　一千間法倉

新倉肆間

借倉壹拾參間

合壹伯陸拾捌間

納雜色稲壹拾伍間

定壹伯伍拾參間

穀倉玖拾間　六十四間不動

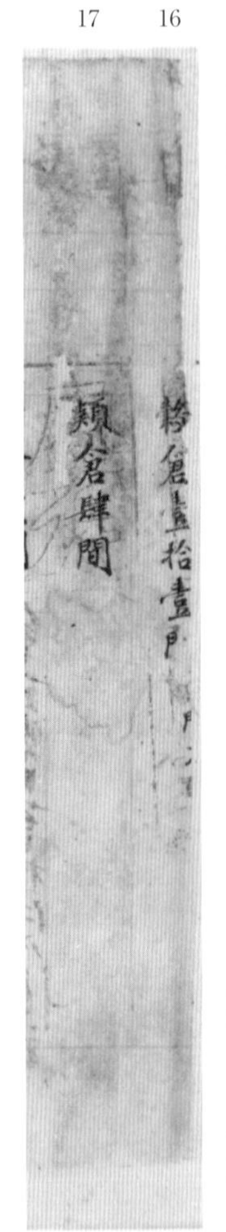

穀倉壹拾壹戸

頴倉肆間

B/塵芥7(1)　正15(7)　A/正15(6)

18 19 20 21 22 23 24 25 26 27 28 29 30 31 32 33 34 35

穎倉肆間

糒倉壹間

倉下三間

郡司大領外正八位上尾張宿祢人足

少領外従八位上民連石前

主政外大初位上勲十二等尾張連石弓

主帳外大初位上勲十二等三宅連 何京

主帳外少初位下勲十二等語部有嶋

山田郡

天平元年定大税穀貳萬捌阡貳伯陸拾肆斛壹斗伍升

穎稲參萬玖阡伍拾玖束陸把捌分

雑用捌伯貳拾參束伍把伍分

二番逓丁粮料參伯陸拾捌束

依民部省符割充

皇后宮職封戸租料肆伯伍拾伍束伍把伍分

遺參萬捌阡貳伯參拾陸束壹把參分

出擧陸阡陸伯捌拾肆束

正身死亡肆人　免税壹伯漆拾貳束

合[illegible]定納不遂阡伍伯壹拾貳束

49　48　47　46　45　44　43　42　41　40　39　38　37　36

塵芥7(3)

07 尾張国正税帳　天平六年度

合八郡天平五年定穀貳拾伍萬捌仟肆伯肆拾斛壹斗捌升壹合
不動壹拾捌萬陸仟肆伯伍拾陸斛参斗陸升玖合
動用柒萬壹仟玖伯捌拾参斛捌斗壹升貳合
正税穀貳拾肆萬玖仟肆伯参拾壹斛陸斗陸升陸合
郡稲穀捌仟伍伯肆拾捌斛貳斗肆升伍合

僧沙弥及潜女等食料稲柒仟伍伯玖拾陸束
年料舂白米柒伯肆拾壹斛　充穎稲壹萬肆仟捌
伯貳拾束
納大炊寮酒料赤米貳伯伍拾玖斛　充穎稲
伍仟壹伯捌拾束
蕃送壹拾捌人起正月一日盡十二月卅日合参
伯伍拾伍日単陸仟参伯玖拾人　正粮壹伯
貳拾柒斛捌斗　儲粮参拾柒斛捌斗
合壹伯陸拾伍斛陸斗　充穎稲参仟参伯
壹拾貳束
官奴婢食料米貳伯肆拾斛　充穎稲肆仟
捌伯束
依民部省天平六年八月廿五日苻送斎宮寮米
参伯斛　充穎稲陸仟束
讀金光明経并冣勝王経供養料稲参拾束捌把

22 講説冣勝王經齋會三寶并衆僧貳拾參口供養
23 分
24 料參伯伍拾參束
25 布施料稲伍阡貳伯貳拾束
26 雜任國司官人伍人　史生一人
27 介外従五位下勲十二等若湯坐宿祢小月食料稲四百六束
前介正六位上勲十二等於忌寸人主食料稲六百卅一束五把
28 掾正七位下勲十二等佐伯宿祢毛人食料稲五百卅一束
大目正八位下伊吉連大魚食料稲四百二束二把
29 少目正八位下大蔵忌寸子虫食料稲四百一束二把
史生従八位上錦部代直男縄食料稲八十六束七把
30 錦并綾生伍拾陸人食料稲伍伯玖拾捌束肆把
31 錦生肆人織錦參疋単壹伯壹拾肆日食
32 料稲壹伯捌拾貳束肆把　日別一束六把
33 綾生伍拾貳人織綾伍拾貳疋単壹阡肆
34 拾日食料稲肆伯壹拾陸束　日別四把
35 釀酒類稲參伯伍拾束
36 年料馬薬貳拾領直稲捌拾束　領別四束
37 田薬壹伯領直稲伍拾束　領別五把
38 年料荏肆斛直稲捌拾束　束別五升
39 胡麻子肆斛直稲壹伯貳拾束　斗別三束
40 禪伍斛　直稲伍拾束　束別一斗
41 菫子貳斛　直稲肆拾束　束別五升
42 糯米貳拾斛　類稲肆伯束
[illegible]升伍斗直稲參拾束　束別

43 進上交易白貝肉鮨壹斛伍斗　直稲参拾束　束別三升

44 進上交易芋漆拾斤　直稲貳伯壹拾束　斤別三束

45 依官符交易馬蒭参拾伍領　直稲壹伯肆拾束　領別四束

46 造薑壹斗参升　納薑七口　大薑三口々別納三升　小薑四口々別納一升

47 用度稲貳伯束

48 進上交易鹿皮肆拾張　卌張洗革　十張不熟　直稲肆伯束

49 進上交易蒜夫鮨雑鮨伍拾斛　直稲壹仟陸伯

50 陸拾陸束陸把　束別三升　納正壹伯伍拾貳口

51 直稲壹伯伍拾貳束

52 合壹仟捌伯壹拾捌束陸把

53 進上交易鮑壹拾肆口　直稲玖束捌把　口別七把

54 錦参逈料紫絲捌絢参両壹分　染料紫壹拾

55 壹斤　直稲参伯参拾束　斤別卅束

56 依太政官天平六年正月十三日符造縛漆口　大二　小五

57 調度價稲肆伯伍束

58 料漆壹斗貳升　直稲貳伯肆拾束　升別廿束

59 校漆料絁壹丈　直稲壹拾参束

60 綿貳屯　直稲貳拾陸束　屯別十三束

61 鑼并迴等料鐵壹拾漆斤　直稲壹伯貳束　斤別六束

62 着苧壹條 長三丈五尺 廣一丈七寸 直稲貳拾肆束
63 依太政官天平六年六月廿四日符造木贄梲陸拾口
64 糯漆陸升 直壹伯貳拾束 升別廿束
65 自陸奥國進上御馬肆疋飼糠米貳斛壹斗玖升参合
66 合三日々別馬別一斗八升三合 頴稲参拾陸束陸把 束別六升
67 下上野國父馬壹拾疋 秣貳拾伍束 二日々別馬別一束二把五分
68 營造兵器用度價稲陸伯玖拾肆束玖把
69 挂甲陸領 糯稲陸伯束 壹領糯稲壹伯束
70 横刀鞘壹拾陸口 糯稲壹拾玖束貳把壹口
71 糯稲壹束貳把 生糸一分二銖直
72 弓肆拾張 糯稲陸束 壹張糯稲壹把伍分
73 楃絁鹿革一枚長六尺一寸廣二尺五寸 張別方五寸直
74 箭伍拾具糯稲漆束伍把 壹具糯稲壹把伍分 生糸一銖直
75 胡禄伍拾具 糯稲肆拾伍束 壹具糯稲玖把
76 生糸三銖直稲四把五分 緒鹿洗革長二尺廣三寸直稲四把五分
77 糯肆拾巻 糯稲壹拾漆束貳把 壹巻糯稲
78 肆把参分 鹿革長九寸廣五寸直稲三把三分 緒鹿洗皮長二尺三寸廣一寸直稲一把
79 修理鋒鍬壹拾漆具 糯絲壹拾陸斤捌両
80 直稲玖伯玖拾束 斤別六十束
81 少寶花有鋒文貳具料絲参斤
82 无鋒文鍬参具 糯絲参斤

83 散花有錢文綜貳具料絲貳斤捌兩

84 无錢文綜伍具料絲叄斤捌兩

85 少車牙无錢文綜貳具料絲貳斤

86 礒形无錢文綜叄具料絲貳斤捌兩

87 出舉貳拾貳萬伍仟柒伯肆束

88 債稲身死伯姓二百五十三人
免稲九千九百卌七束

89 定納本貳拾壹萬伍仟柒伯陸拾柒束

90 利十万七千八
百八十三束五把

91 合叄拾貳萬叄仟陸伯伍拾束伍把

92 賣不用傳馬壹拾壹疋　直稲伍伯陸拾束

93 一疋別五十束
一疋六十束

94 死馬皮壹拾張　直稲壹伯伍拾束
張別十五束

95 天平四年未納　徵納壹伯玖拾束

96

97 糯米麹捌拾束

98 胡麻子價壹拾伍束

99 荏子價壹拾束

100 薭子價壹拾束

101 菫子價陸束

102 交易白貝內鮨價壹拾束

F/正15(17)　　正15(13)

103 交易白[illegible]六斛價壹拾束
104 雑掌粮伍拾叁束貳把陸分
104 依符交易馬萩價貳拾束
105 運雑物夫粮料壹阡伍伯陸拾肆束
106 [illegible]
107 出挙叁萬貳阡肆拾束　債稲身死卌六人 免稲一千六百四束
108 定納本叁萬肆伯叁拾陸束　利一万五千二百十八束
109 合定肆萬伍阡陸伯伍拾肆束
110 賣不用馬壹疋直伍拾束
111 皮壹張直壹拾伍束
112 古稲伍萬貳阡肆伯漆拾漆束壹把伍分
113 自中嶋郡来壹阡肆伯捌拾貳束
114 當年租穀壹阡伍伯叁拾伍斛陸斗壹升捌合
115 都合定穀叁萬伍伯伍拾叁斛伍升玖合
116 振入貳阡漆伯漆拾漆斛伍斗伍升

H/正15(20)

117 [illegible]
118 主帳外少初位上勲十二等爪工連　病
119 主帳无位尾張連　田主
120 中嶋郡
121 天平五年定穀叁萬玖阡捌拾漆斛漆斗玖升捌合
122 不動貳萬玖阡叁伯壹拾肆斛玖斗叁升肆合

D/正15(14)

123 動用玖阡柒伯漆拾貳斛捌斗陸升肆合

124 正税穀参萬柒阡肆伯貳拾肆斛参斗玖升捌合

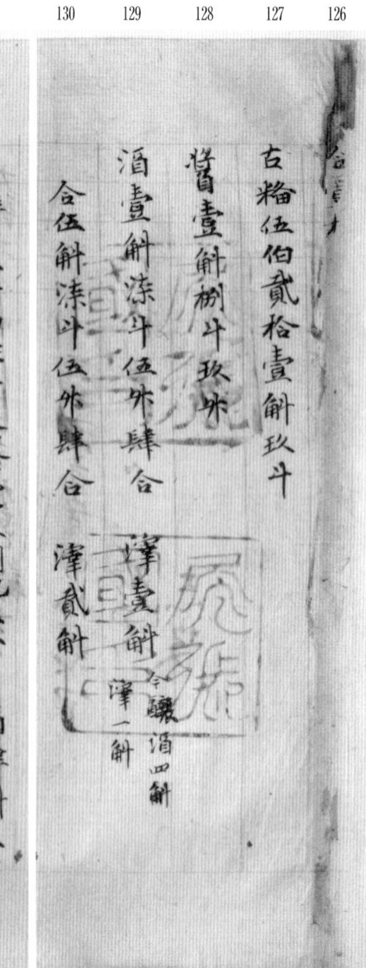

127 古糯伍伯貳拾壹斛玖斗

128 醤壹斛捌斗玖升

129 酒壹斛柒斗伍升肆合　滓壹斛　合醸酒四斛　滓一斛

130 合伍斛柒斗伍升肆合　滓貳斛

G/正15(18)

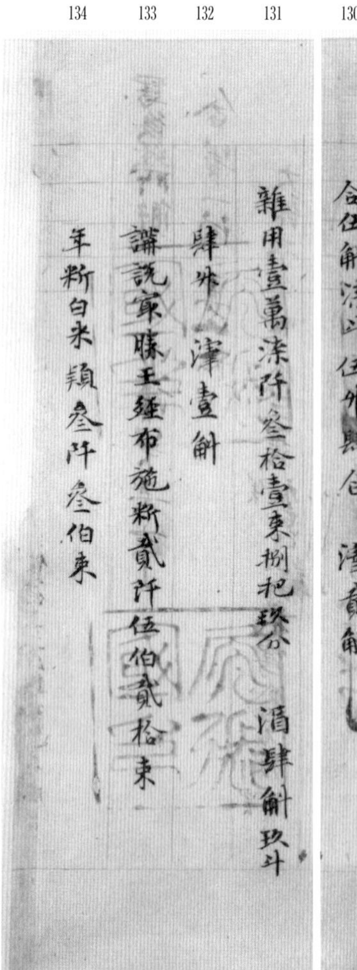

131 雑用壹萬柒阡参拾壹束捌把玖分　酒肆斛玖斗

132 肆升　滓壹斛

133 講説最勝王経布施料貳阡伍伯貳拾束

134 年料白米穎参阡参伯束

135 賣不用傳馬参疋直稲壹伯伍拾束

136 皮肆張直陸拾束

137 古稲玖萬陸阡肆伯肆拾柒束陸把陸分

138 遺穀壹阡貳伯壹拾壹束柒把

139 得穀壹伯貳拾壹斛壹斗柒升

140 遺玖萬伍阡貳伯参拾伍束玖把陸分

141 當年租穀壹阡伍伯玖拾玖斛伍斗陸升

I/正15(21) 正15(19)

當年租穀壹阡伍伯玖拾玖斛伍斗陸升

142　都合定穀肆萬捌伯捌斛伍斗貳升捌合

143　振入叁阡漆伯玖斛捌斗陸升捌合

144　定叁萬漆阡玖拾捌斛陸斗陸升

145　不動二万六千六百卌九斛九斗四升
　　動一万四百卌八斛七斗二升

146　頴稲壹拾伍萬壹阡伍伯壹拾伍束玖把陸分

147　上番五伯貳拾壹斗久升

148　[illegible]八位下尾張連　向京

149　八位上勲十二等甚目　[illegible]希麿

150　[illegible]初位上勲十二等中嶋連東人

151　帳少初位上勲十二等國造族[illegible]　向京

152　主帳外[illegible]初位[illegible]勲[illegible]　[illegible]月

153　主帳外少初位下勲十二等他田弓張

154　葉栗郡

155　天平五年定穀壹萬捌阡陸伯伍拾[illegible]斛捌斗漆升　正税

156　不動壹萬壹阡叁伯漆拾貳斛伍斗漆升

157　動[illegible]伯捌拾伍斛叁斗

158　[illegible]貳[illegible]玖伯玖拾[illegible]束伍把

159　正税[illegible]萬肆阡捌拾肆束貳把

160　捌阡漆伯漆拾束捌把

176　175　174　173　172　171　170　169　168　167

都合定參拾參間　不動穀倉七間　糒倉一間　屋一間　空倉四間
動用穀倉六間　穎倉六間　倉下三間　空屋一間
郡司少領外従八位上勲十二等和尓部臣若麻呂
主帳外少初位上勲十二等伊福部大麻呂
謹件収納天平六年正税雑充用之状具注如件仍
付守従五位下勲十二等多治比真人多夫勢進上以
解
天平六年十二月廿四日史生従八位上丹比新家連石萬呂
守従五位下勲十二等多治比真人　[illegible]世
掾正八位下行勲十二等[illegible]宿祢毛人
介従五位下行勲十二等[illegible]宿祢[illegible]
正八位下行大目伊吉連　朝集使

166　165　164　163　162　161

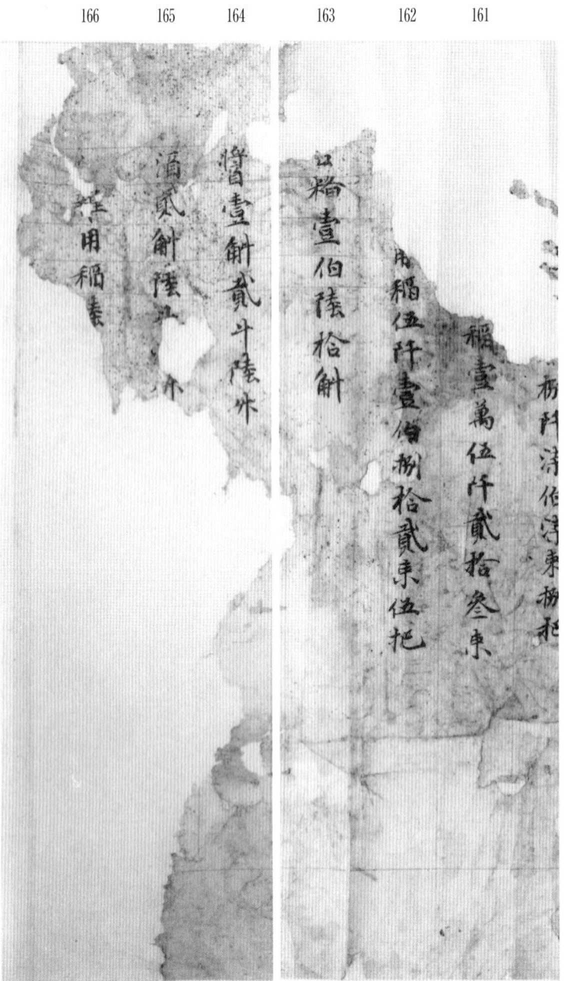
雑用稲參[illegible]
酒貳斛陸[illegible]升
醤壹斛貳斗陸升
以糒壹伯陸拾斛
用稲伍阡壹伯捌拾貳束伍把
稲壹萬伍阡貳拾參束
[illegible]阡漆伯[illegible]束捌把

08

駿河国正税帳

天平九年度

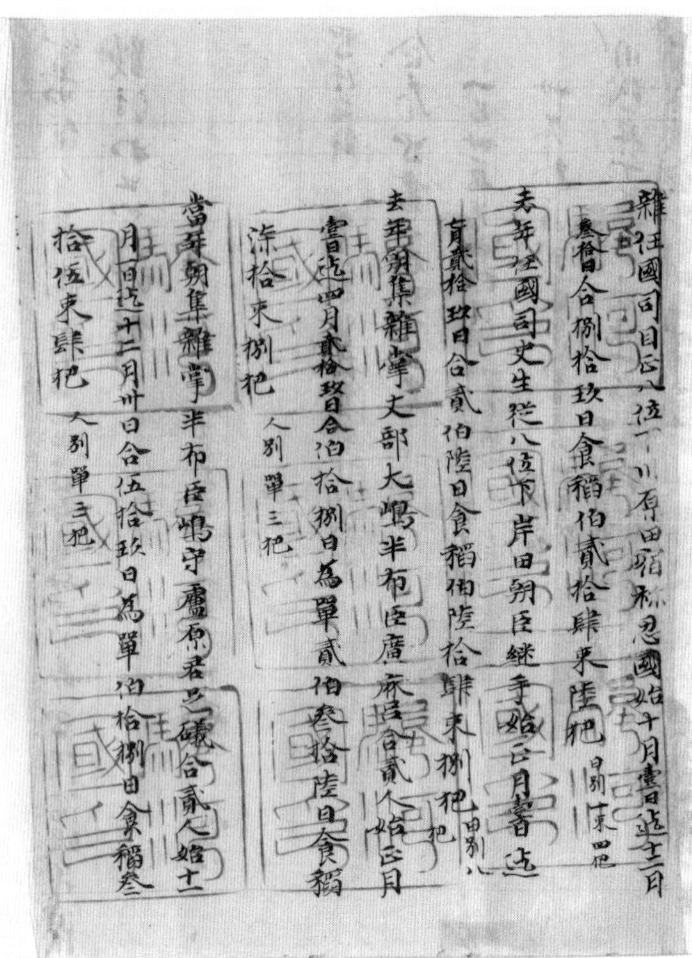

雜任國司目正八位下川原田宿祢忍國始十月壹日迄十二月
參拾日合捌拾玖日食稲伯貳拾肆束陸把 日別一束四把
去年任國司史生従八位下岸田朝臣継手始正月壹日迄
月貳拾玖日合貳伯陸日食稲伯陸拾肆束捌把 日別八把
去年朝集雜掌大部大嶋半布臣廣麻呂合貳人始正月
壹日迄四月貳拾玖日合伯拾捌日為單貳伯參拾陸日食稲
柒拾束捌把 人別單三把
當年朝集雜掌半布臣嶋守盧原君足礒合貳人始十一
月一日迄十二月卅日合伍拾玖日為單伯拾捌日食稲參
拾伍束肆把 人別單三把

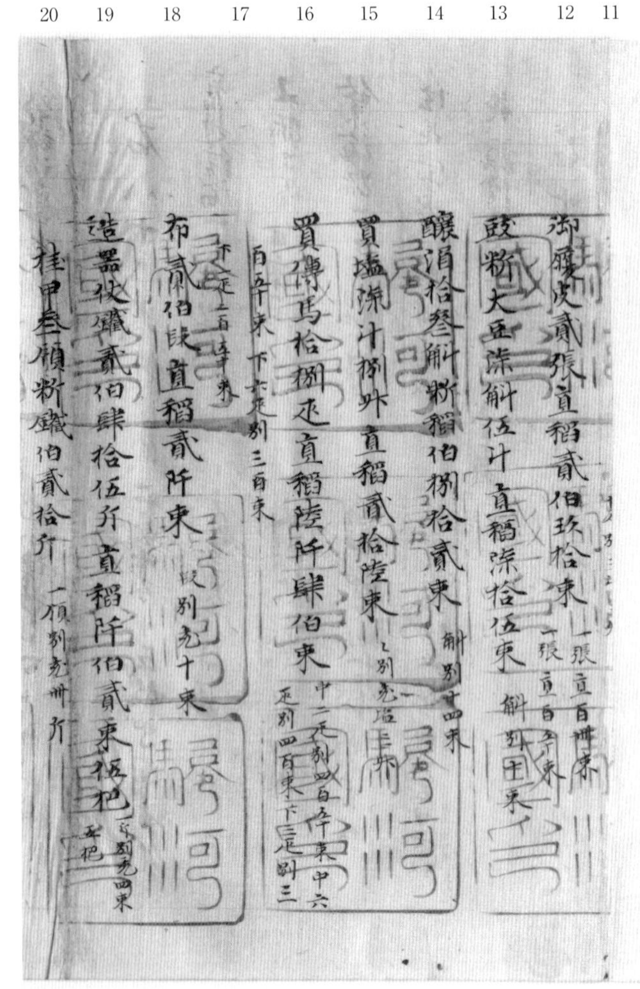

御覆皮貳張直稲貳伯玖拾束 一張直百卅束 一張直百六十束
鼓料大豆柒斛伍斗直稲柒拾伍束 斛別十束
釀酒拾參斛料稲伯捌拾貳束 斛別十四束
買塩柒斗捌升直稲貳拾陸束 束別充塩三升
買傳馬拾捌疋直稲陸阡肆伯束 中十二疋別四百卅束 中六疋別四百束 下三疋別三
百五十束 下六疋別三百束
布貳伯段直稲貳阡束 段別充十束
造器仗鐵貳伯肆拾伍斤直稲阡伯貳束伍把 一斤別充四束五把
桂甲參領料鐵伯貳拾斤 一領別充卌斤

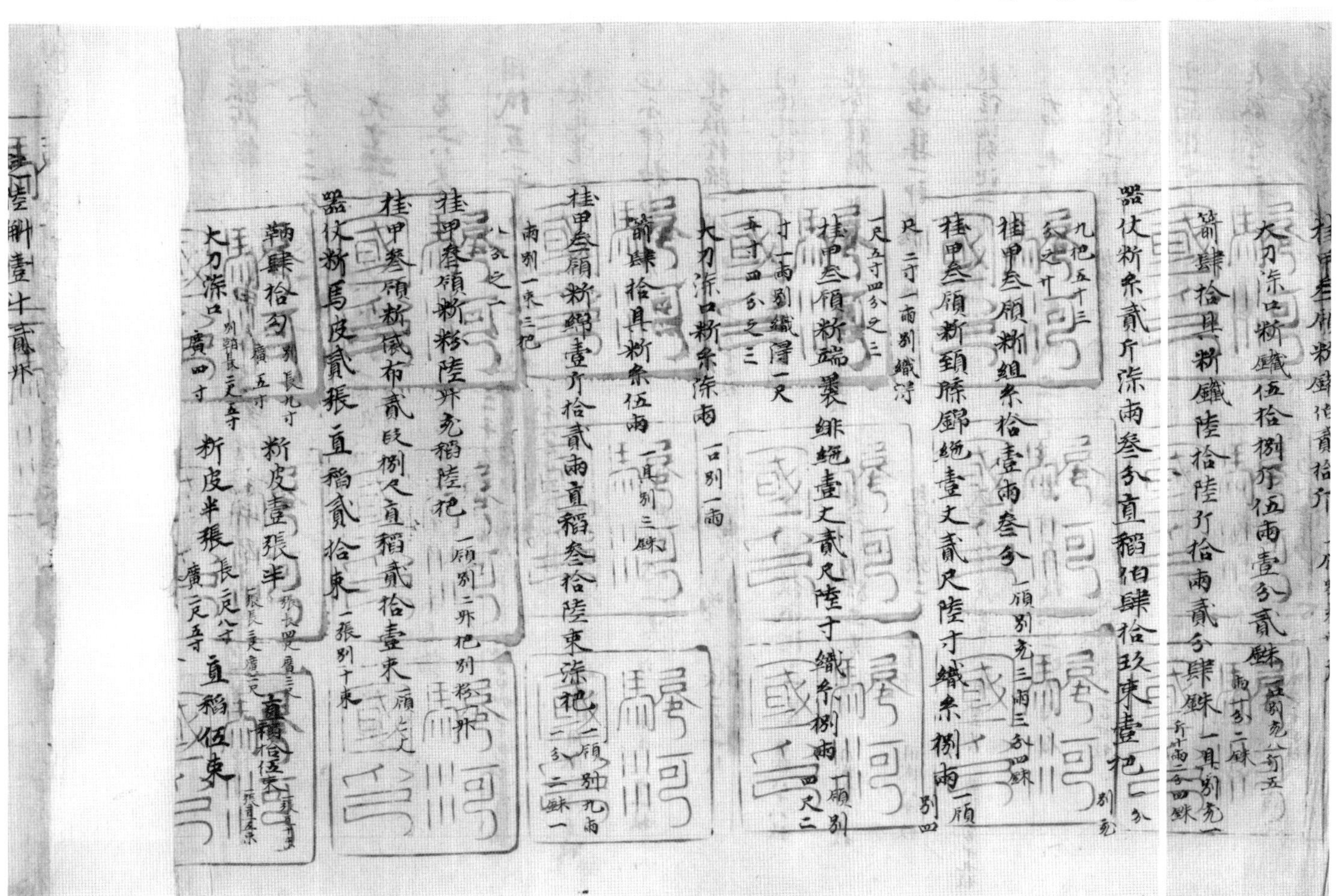
38 37 36 35 34 33 32 31 30 29 28 27 26 25 24 23 22 21

56　55　54　53　52　51　50　49　48　47　46　45　44　43　42　41　40　39

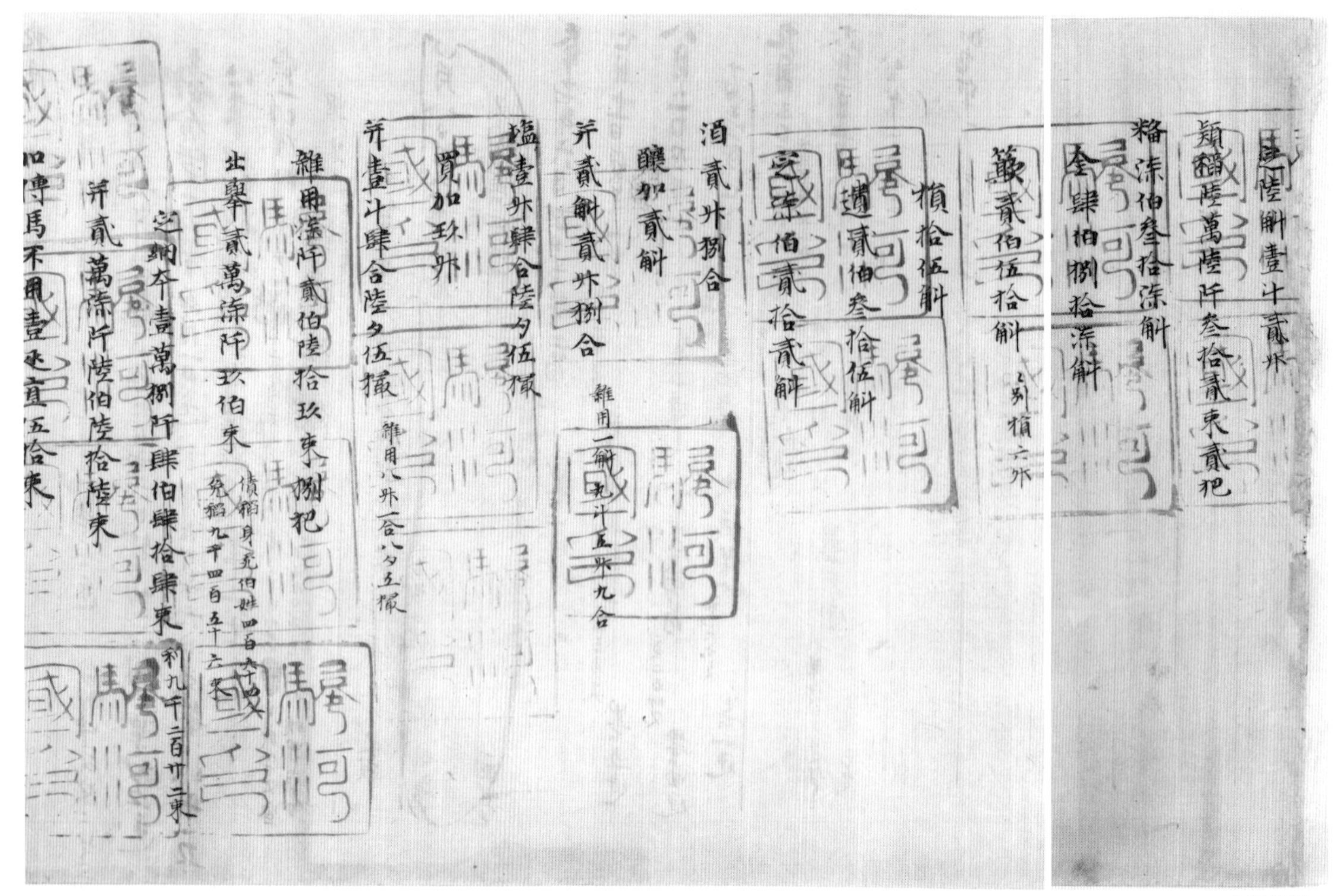

加傳馬不用壹張直伍拾束
加傳馬死皮壹張直拾束
都合定穀肆萬肆阡伍伯拾參斛陸斗　振入四千[illegible]卅六斛六斗九升　斛別八升
酒貳斗伍升柒合
釀加貳斛
并貳斛貳斗伍升柒合　雑用一斛五斗五升五合
塩伍升壹合伍撮
買加玖升
并壹斗肆升壹合伍撮　雑用六升三合一夕
雑用壹萬阡貳伯肆拾陸束陸把
出擧參萬柒阡肆伯束　債稲身死伯姓四百卄七人　免稲一万千八十二束
定納本貳萬陸阡參伯拾捌束　利一万三千百五十九束
并參萬玖阡肆伯柒拾柒束
加傳馬死皮伍張直伍拾束　張別十束
都合定穀伍萬陸阡伍伯伍拾參斛柒斗壹升　振入五千百卌一斛二斗五升　斛別八升
定伍萬阡肆伯拾貳斛肆斗陸升
不動肆萬柒阡玖伯玖拾斛柒斗參升
動參阡肆伯貳拾壹斛柒斗參升
粟伯玖拾壹斛　振入十七斛三斗六升

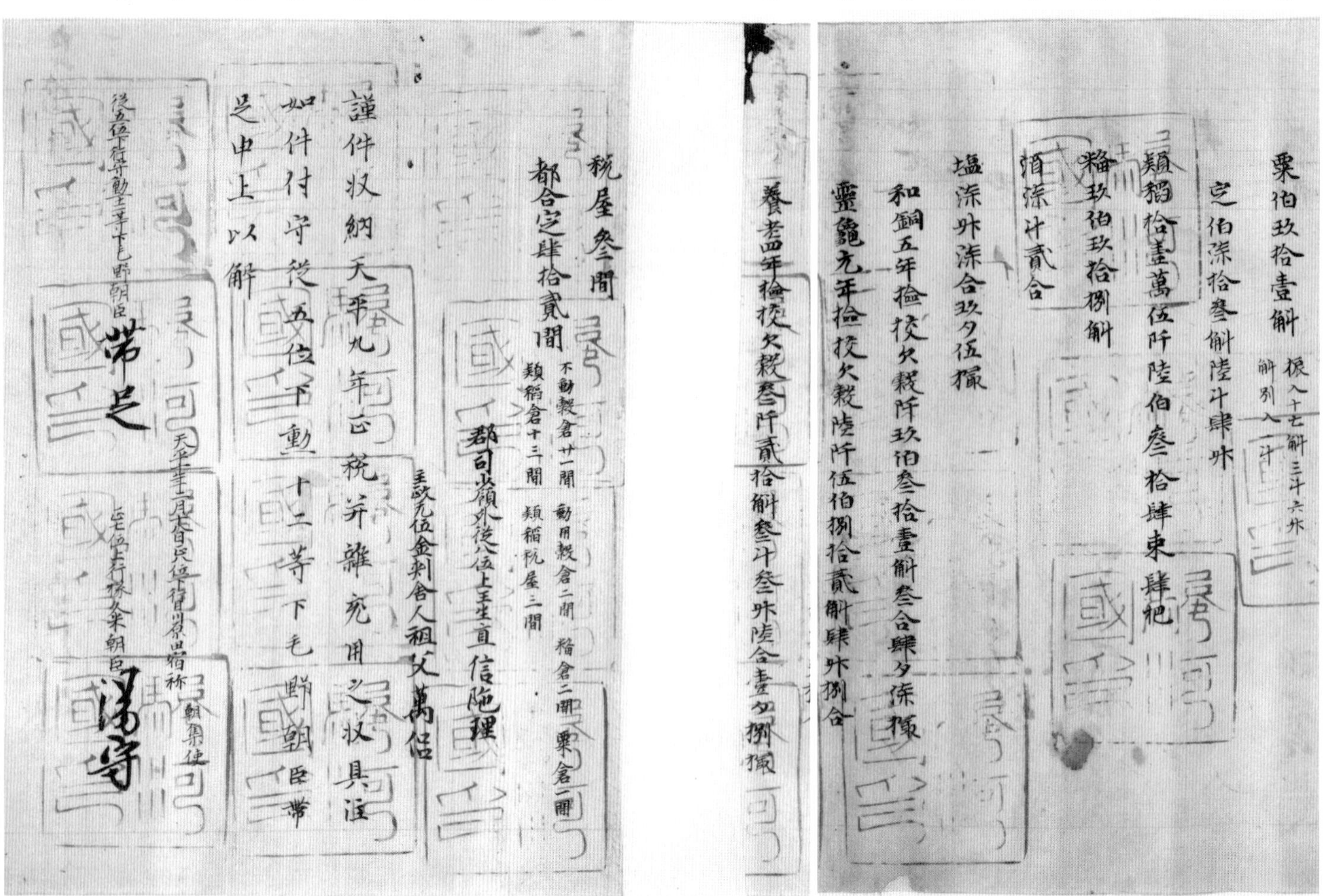

75 粟伯玖拾壹斛　振入十七斛三十六外　斛別入一升
76 定伯漆拾参斛陸斗肆外
77 穎稲拾壹萬伍阡陸伯参拾肆束肆把
78 糒玖伯玖拾捌斛
79 酒漆斗貳合
80 塩漆斗漆合玖夕伍撮
81 和銅五年稲挍欠穀阡玖伯参拾壹斛参合肆夕漆撮
82 霊亀元年稲挍欠穀陸阡伍伯捌拾貳斛肆外捌合
83 養老四年稲挍欠穀参阡貳拾斛参斗参外陸合壹夕捌撮
84 税屋参間
85 都合定肆拾貳間　不動穀倉廿一間　動用穀倉二間　糒倉二間　粟倉二間　穎稲倉十三間　穎稲税屋三間
86 郡司少領外従八位上壬生直信陁理
87 主政无位金刺舎人祖父萬侶
88 謹件収納天平九年正税并雑充用之状具注
89 如件付守従五位下勲十二等下毛野朝臣帯
90 足申上以解
91 天平十年二月十八日正六位下行目小治田宿祢　朝集使
92 従五位下行守勲十二等下毛野朝臣帯足　正七位上行掾久米朝臣湯守

E/正17(6)

09 駿河国正税帳 天平十年度

1 別一日食爲[illegible]壹拾[illegible]
2 山梨郡散事小長谷部練麻呂 上一口 従六口 従一口 六郡別一日食爲單壹拾
3 貳日 上六口 従六口
4 相模國進上橘子 御贄部領使餘綾郡散事丸子部大國
5 上 三郡別一日食爲單參日 上
6 従卅八口
7 下総國印旛郡采女丈部直廣成 上一口 従二口 六郡別一日食爲單壹拾捌日 上 [illegible]
8 従十 二口
9 部領使左辨史生大初位下文忌寸奈保麻呂 上一口 従一口 六郡別一日食爲單壹拾
10 貳日 上六口 従六口
11 依病下下野國那須湯従四位下小野朝臣 上一口 従十二口 六郡別一日食爲單漆拾捌
12 日 上六口 従十二口
13 不見珠玉使春宮坊少屬従七位下大伴宿祢池主 上一口 従八口 六郡別一日食
14 爲單伍拾肆日 上六口 従卅八口
15 従上総國進上乏右使大初位下山田史廣人 上一口 従二口 六郡別一日食爲單
16 壹拾捌日 上六口 従十二口
17 検校正税下総國下兵部省大录正六位上路真人野中 上一口 従二口 六郡別半
18 日食爲單壹拾貳日 上二口 従九口
上一口

日食爲單壹拾貳日　從九口

19 從陸奥國進上　御馬部領使國造三大初位下奈氣私造石嶋　上一口 從二口

20 六郡別一日食爲單壹拾捌日　上六口 從十二口

21 從甲斐國進上　御馬部領使山梨郡散事小長谷部麻佐　上一口 從四口　六

22 郡別一日食爲單壹拾貳日　上六口 從六口

23 下総常陸等國國師賢了　上一口 從三口　六郡別半日食爲單壹拾貳日

24 上三口 從九口

25 下野國造藥師寺司宗藏　上一口 助僧二口 從九口　六郡別半日食爲單參

26 拾陸日　上三口 助僧六口 從廿七口

27 舊防人部領使遠江國少掾正六位下高橋朝臣國足　上一口 從二口　三郡別一日食

28 爲單玖日　上三口 從六口

29 防人部領使史生從八位上日置造石足　上一口 從一口　三郡別一日食爲單陸日　上三口 從三口

30 當國防人部領使史生從八位上岸田朝臣繼手　上一口 從一口　三郡別一日食爲

31 單陸日　上三口 從三口

32 防人部領安倍團少毅從八位上有度部黒背　上一口 從一口　三郡別一日食爲

33 單陸日　上三口 從三口

34 從陸奥國送攝津職俘囚部領使相模國餘綾團大毅大初位下丈

35 部小山　上一口 從一口　三郡別一日食爲單陸日　上三口 從三口

36 俘囚部領大住團少毅大初位下當麻部國勝　上一口 從一口　三郡別一日食爲單

37 陸日 上三口 従三口

38 當國伊豆国部領使史生従八位上守田朝臣継手 上一口 従一口 三郡別一日食為

39 單陸日 上三口 従三口

40 伊豆国部領安倍団少毅従八位上有度部里背 上一口 従一口 三郡別一日食為

41 單陸日 上三口 従三口

42 巡行部内國師明喩 上一口 沙弥一口 童子一口 六郡別一日食為單壹拾捌日 上三口 従三口

43 責官符遠江國使磐田郡散事大湯坐部小國 上 三郡別二度

44 各一日食為單陸日 上

45 小長谷部國足 上 三郡別二度各一日食為單陸日 上

46 物部石山 上 三郡別二度各一日食為單陸日 上

47 敢石部角足 上 三郡別三度各一日食為單玖日 上

48 肥人部廣麻呂 上 三郡別一日食為單參日 上

49 儀部飯足 上 三郡別一日食為單參日 上

50 小長谷部善麻呂 上 三郡別一日食為單參日 上

51 矢田部猪手 上 三郡別一日食為單參日 上

52 當國使安倍郡散事常臣子赤麻呂 上 三郡別五度各一日食

53 為單壹拾伍日 上

54 横田臣大宅 上 三郡別二度各一日食為單陸日 上

横田臣大宅　三郡別二度各一日食為單陸日

55 伊奈利臣千麿　上　三郡別二度各一日食為單陸日　上

56 半布臣子石足　上　三郡別二度各一日食為單陸日　上

57 丈部牛麿　上　三郡別二度各一日食為單陸日　上

58 貢省符使遠江國磐田郡散事大湯坐部小國　上　三郡別十一

59 度各一日食為單參拾參日　上

60 矢田部猪手　上　三郡別十度各一日食為單參拾日　上

61 生部牛麿　上　三郡別六度各一日食為單壹拾捌日　上

62 稅部古麻呂　上　三郡別六度各一日食為單壹拾捌日　上

63 物部石山　上　三郡別三度各一日食為單玖日　上

64 合五十一迄
小長谷部足國　上　三郡別六度各一日食為單壹拾捌日　上

65 敢石部角足　上　三郡別六度各一日食為單壹拾捌日　上

66 佐益郡散事丈部塩麻呂　上　三郡別五度各一日食為單壹拾伍日　上

67 當國使安倍郡散事刑部若槌　上　三郡別二度各一日食為單陸日　上

68 丈部牛麻呂　上　三郡別四度各一日食為單壹拾貳日　上

69 半布臣足嶋　上　三郡別四度各一日食為單壹拾貳日　上

70 横田臣大宅　上　三郡別十度各一日食為單參拾日　上

71 丈部多麻呂　上　三郡別四度各一日食為單壹拾貳日　上

丈部[illegible]麻呂　三郡別四度各一日食為單壹拾貳日

72 半布臣石麻呂 上　三郡別四度各一日食為單壹拾貳日 上

73 半布臣虫麻呂 上　三郡別一日食為單參日 上

74 伊奈利臣牛麻呂 上　三郡別一日食為單參日 上

75 當國使[illegible]　別四度各一日食為

76 單壹拾貳日 上

77 川邊臣足人 上　三郡別二度各一日食為單陸日 上

78 他田舎人益國 上　三郡別二度各一日食為單陸日 上

79 舊防人伊豆國貳拾貳人　甲斐國參拾玖人　相模國貳伯參

80 拾人　安房國參拾參人　上総國貳伯貳拾參人　下総國

81 貳伯漆拾人　常陸國貳伯陸拾伍人　合壹阡捌拾貳人

82 六郡別半日食為單參阡貳伯肆拾陸日 上

83 依病退本土仕丁衞士火頭等　相摸國御浦郡衞士主

84 [illegible]呂　六郡別半日食為單參日 従

85 逃丁宍人部身麻呂 従　六郡別半日食為單參日 従

86 茨木郡仕丁旱部交敷 従　六郡別半日食為單參日 従

87 従陸奥國送攝津職俘囚壹伯壹拾伍人 従　六郡別半日食為單

88 參伯肆拾伍日 従

E/正17(13)

C/正17(11)

叄伯肆拾伍日 従

89 従相模國逓送官奴里奈 従 六郡別半日食為單叄日 従

90 巡行部内國司漆拾人 守二口 掾九口 目六口 史生十口 従卅三口 一郡十二日食 守一口 目一口 史生一口 従六口

91 七郡別四日食 守一口 掾三口 史生三口 従十三口 七郡別三日食 掾四口 目一口 史生三口 従十三口 三郡別

92 二日食 掾一口 従三口 七郡別二日食 掾一口 目四口 史生一口 従八口 七郡別一日食 史生一口 従一口 六郡

93 別一日食 史生一口 従一口 為單壹阡叄伯叄拾人 上三百廿口 史生百卅六口 従八百廿四口 食稲

94 肆伯肆拾玖束陸把 塩貳斗貳升肆合捌勺 酒肆斛陸斗捌

95 升捌合 上別日稲四把 塩二勺 酒一升 史生別日稲四把 塩二勺 酒八合 従別日稲三把 塩一勺五撮

96 春夏正税出挙國司 掾一口 史生一口 従三口 七郡別二度各三日食為單貳

97 伯壹拾日 掾卌二口 史生卌二口 従百廿六口

98 責計帳手實國司 掾一口 目一口 史生一口 従五口 七郡別三日食為單壹伯

99 陸拾捌日 掾廿一口 目廿一口 史生廿一口 従一百五口

100 検校調庸布國司 目一口 従一口 七郡別二度各二日食為單伍拾陸日 目廿

101 八口 従廿八口

102 収納正税國司 守一口 従三口 七郡別四日食為單壹伯壹拾貳日 守廿八口 従八十四口

103 依恩勅賑給高年并鰥寡國司 掾一口 従一口 七郡別二日食為單貳拾捌日 掾十四口 従十四口

104 向京調庸布國司 守一口 目一口 史生一口 従六口 一郡十二日食為單壹伯捌日 守十二口 目十二口 史生十二口 従七十二口

105 二寺稲春夏出挙國司 目一口 従二口 七郡別二度各二日食為單捌拾肆日 目廿八口 従五十六口

106 二寺稲収納國司 史生一口 従一口 七郡別二日食為單貳拾捌日 史生十四口 従十四口

107 檢校水田國司 掾一口 従二口 七郡別三日食為單陸拾參日 掾廿一口 従卌二口

108 幣帛奉國司 史生一口 従一口 六郡別一日食為單壹拾貳日 史生六口 従六口

109 巡察使従 史生一口 従一口 七郡別一日食為單壹拾肆日 史生七口 従七口

110 去年任國司掾従六位下久米朝臣湯守始正月一日迄閏七月廿九日合

111 貳伯參拾陸日食稲肆伯壹束貳把 日別一束七把

112 去年國司目正八位上川原田宿祢忍國始正月一日迄閏七月廿九日合貳

113 伯參拾陸日食稲參伯參拾束肆把 日別一束四把

114 去年朝集雜掌半布臣嶋守盧原君足礒合貳人 始正月一日迄四月十九日 日合百十八日

115 為單貳伯參拾陸日食稲漆拾束捌把 人別日三把

116 當年朝集雜掌半布臣嶋守 早部今子 合貳人 始十一月一日迄十二月卅日 日合五十九日

117 為單壹伯壹拾捌日食稲參拾伍束肆把 人別日三把

118 綾羅合貳拾漆疋織生貳拾漆人日貳拾箇日為單伍佰肆拾日

119 食稲貳伯壹拾陸束 人別日四把

120 [illegible]

121 給稲壹萬壹阡貳伯貳拾肆束 二人別廿束 卅六人別十束 四百卌四人別六束 三百十九人

122 別五束 七百卌四人別四束 四百九十一人 別三束 九百六十三人別二束

123 元日拜朝刀祢拾壹人 國司史生已上三口 郡司主帳已上六口 軍毅少毅已上二口 食稲貳束貳

元日拜朝刀祢拾壹人 軍毅火毅已上二口 食稲貳束貳

124 把 酒壹斗壹升 人別稲二把 酒一升

125 正月十四日轉讀 金光明經幷最勝王經壹拾捌巻壹箇日

126 佛聖僧幷僧拾捌口合貳拾口供養料稲漆拾捌束漆把

127 食料捌束 口別四把

128 塩貳升肆合 四合 口別二夕 直稲捌把 々別[illegible]合

129 醤伍升壹合陸夕 二升雑菜料口別一合 [illegible]一合五夕八撮 直稲貳拾束陸把 升別四束

130 未醤貳升伍合陸夕 口別一合二夕 直稲漆束陸把 升別三束

131 直稲参拾玖束肆把 一斤直廿一束 布壹段肆尺 段別一丈 直稲

132 束陸把 一段直十二束 糯米参升 領別一升 料麪陸把 升別二把 [illegible]

133 参枚 長各四尺五寸 廣二尺四寸 直稲貳拾肆束 枚別八束

134 横刀漆口料鐵伍拾捌斤参両 口別八斤五両 直稲貳伯陸拾壹

135 束玖把 一斤直四束五把

136 鞘料鐵貳斤壹拾両 口別六両 直稲壹拾壹束捌把 一斤直四束五把

137 馬皮半枚 長二尺八寸 廣二尺五寸 鞘別充長二尺五寸廣四寸 直稲伍束 糸貳両壹分貳銖

138 口別一分二銖 直稲伍束玖把 一斤直六十束

139 弓肆拾張弓握纏韋壹張 長四尺 廣二尺五寸 弓一張別方五寸 直稲捌束

箭肆拾具料糸壹拾両 具別[illegible] 直稲肆束貳把 一斤直六十束

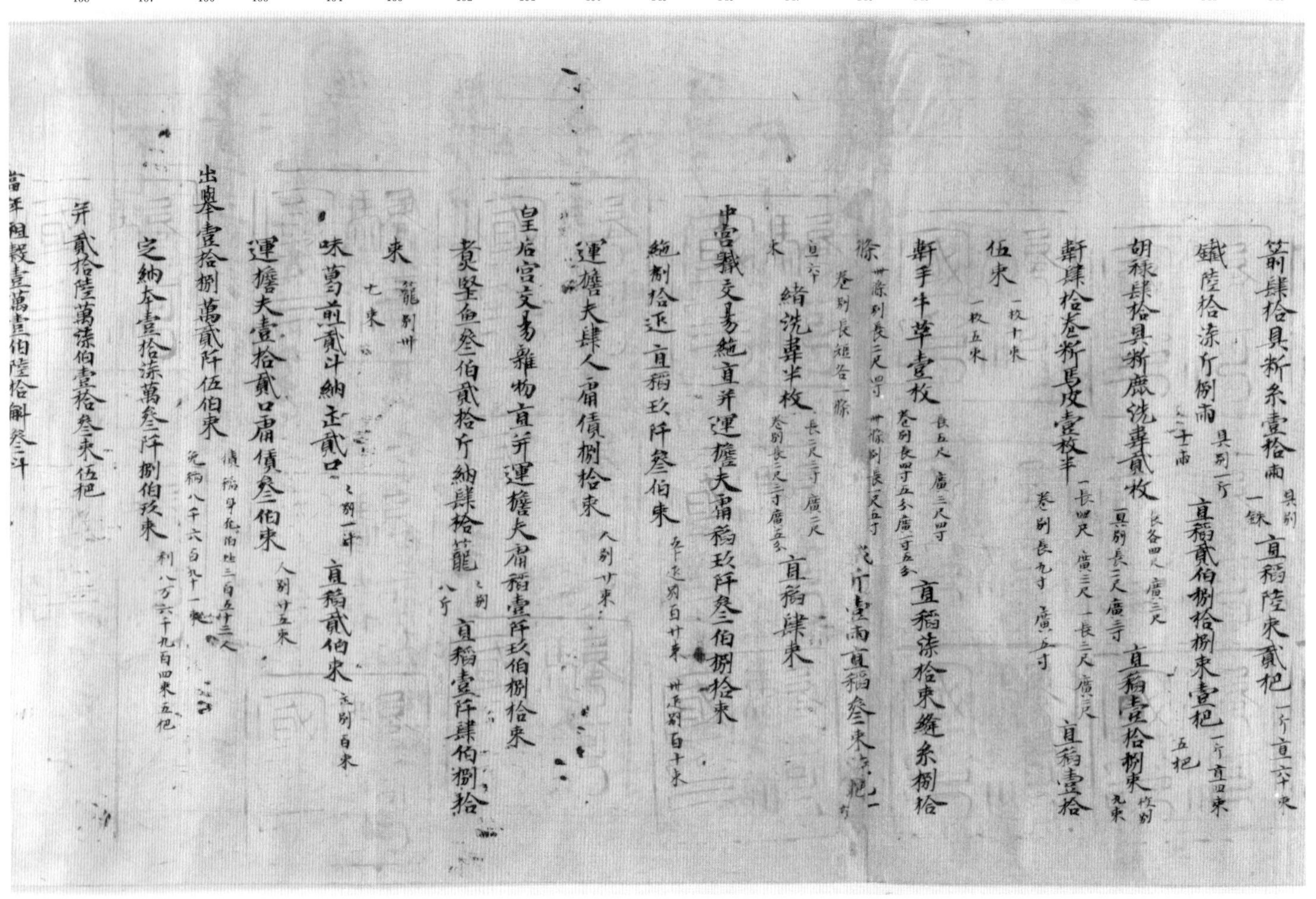

140 箭肆拾具料糸壹拾両 具別一銖 直稲陸束貳把 一斤直六十束
141 鐵陸拾漆斤捌両 具別一斤二十両 直稲貳伯捌拾捌束壹把 一斤直四束五把
142 胡禄肆拾具料鹿洗皮貳枚 長各四尺 廣三尺 具別長二尺廣三寸 直稲壹拾捌束 枚別九束
143 靳肆拾参料馬皮壹枚半 一長四尺 廣三尺 一長三尺 廣二尺 参別長九寸 廣五寸 直稲壹拾
144 伍束 一枚十束 一枚五束
145 靳手牛革壹枚 長五尺 廣三尺四寸 参別長四寸五分廣一寸五分 直稲漆拾束縫糸捌拾
146 絛 卌絛別長二尺四寸 卌絛別長一尺五寸 参別長短各一絛 斤壹両直稲参束六把 一斤
147 直六十束 緒洗韋半枚 長二尺三寸 廣二尺 参別長二尺三寸廣五分 直稲肆束
148 中宮職交易絁直并運擔夫粮稲玖阡参伯捌拾束
149 絁捌拾疋 直稲玖阡参伯束 疋別百廿束 卅疋別百十束
150 運擔夫肆人粮債捌拾束 人別廿束
151 皇后宮交易雑物直并運擔夫粮稲壹阡玖伯捌拾束
152 黄堅魚参伯貳拾斤納肆拾籠 籠別八斤 直稲壹阡肆伯捌拾
153 束 籠別卅七束
154 味葛煎貳斗納壺貳口 口別一斗 直稲貳伯束 口別百束
155 運擔夫壹拾貳口粮債参伯束 人別廿五束
156 出擧壹拾捌萬貳阡伍伯束 債稲身死伯姓三百五十三人 免稲八千六百九十一束
157 之納本壹拾漆萬参阡捌伯玖束 利八万六千九百四束五把
158 并貳拾陸萬漆伯壹拾参束伍把
當年租穀壹萬壹伯陸拾斛参斗

正18(5)　正18(4)

159 當年租穀壹萬壹伯陸拾斛參斗

160 　封壹阡捌拾陸斛肆斗參升

161 　　半給玖拾肆斛　主給卌七斛　納官卌七斛

162 　　全給玖伯玖拾貳斛肆斗參升

163 　官玖阡柒拾參斛捌斗柒升

164 合官納玖阡壹伯貳拾斛捌斗柒升　振入八百廿九斛一斗六升

165 定捌阡貳伯玖拾壹斛柒斗壹升　斛別入一斗

166 加傳馬死皮肆張直肆拾束　張別十束

167 加傳不用馬伍疋直貳伯伍拾束　疋別五十束

168 加中宮職稅壹萬肆伯肆拾貳束柒把半

169 都合定穀參拾伍萬肆阡玖伯陸拾陸斛伍斗玖升　振入三万二千二百六十九斛六斗八升　斛別入一斗

170 定參拾貳萬貳阡陸伯玖拾陸斛玖斗壹升

171 　不動貳拾捌萬伍阡捌伯玖拾柒斛參斗壹升

172 　動參萬陸阡柒伯玖拾玖斛陸斗

173 粟肆伯捌拾貳斛伍斗陸升　振入卌三斛八斗四升　斛別入一斗

174 定肆伯參拾捌斛柒斗貳升

175 穎稲陸拾萬參阡肆伯玖拾參束玖把半

176 糒伍阡伍伯壹拾肆斛伍斗陸升

177 酒伍斛肆斗

醬玖斛柒斗盛瓱伍口　四口別受二斛

178 貳拾斛漆斗盛甕伍口　四口別受二斛　一口受一斛七斗

179 未貳斛捌斗盛甕貳口　口別受一斛四斗

180 酢壹斛玖斗盛甕壹口

181

182 霊亀元年検校国司守従六位下巨勢朝臣足人

183 欠穀壹萬肆伯伍拾捌斛参斗捌升玖合伍勺　国司守従六位上田口朝臣御万呂　掾従七位上笠志史君足

184 目正八位上林連安人等時欠

185 養老四年検校国司守従六位上矢口朝臣里麻呂

186 欠穀肆阡肆伯壹拾漆斛玖斗漆升捌合壹勺肆撮

187 糒肆拾斛捌斗　国司守従五位下巨勢朝臣足人　掾従六位下秦忌寸稲栗　目従六位上東宮史千山等時欠

188 神亀二年検校按察使正五位上勲七等大伴宿祢山守

189 欠穀肆萬貳阡陸伯壹拾捌斛陸斗　国司守従五位下勲八等下毛野朝臣

190 掾従六位下勲十二等巡真人宮守　目従八位上勲十二等林連加麻呂等時欠

191 正倉貳伯捌間　穀倉七間　穎倉二百一間　新造貳間　穀倉　修理伍間　穀倉

192 穎屋貳拾間　新造一間

193 借倉壹拾貳間

194 借屋壹拾間

195 都合定貳伯伍拾間　不動穀倉百十五間　動用穀倉十四間　動用穀借屋　七間　糒倉九間　糒借倉四間　粟倉三間

196 粟借倉五間　穎稲倉卅六間　穎稲穎屋十六間　穎稲借倉一間　穎稲借屋四間　空倉十二間　空穎屋四間　空借倉二間

197 鎰壹拾陸勾　不動鎰七勾　糒倉鎰一勾　不動已口
常鎰七勾　塩倉鎰一勾　正倉卅口

198 右不動鎰柒勾藏納櫃已付去天平七年正税

199 帳使故目従七位上土師宿祢佐美麻呂申送已

200 訖

201 志太郡天平九年定穀参萬伍阡伍伯参拾陸斛肆斗捌升　振入三千二百卅斛五斗九升　斛別入一斗

202 定参萬貳阡参伯伍斛捌斗玖升

203 不動貳萬玖阡陸伯伍拾参斛柒升

204 動貳阡陸伯伍拾貳斛捌斗貳升

205 粟壹拾壹斛陸斗壹升　振入一斛五升　斛別入一斗

206 定壹拾斛伍斗陸升

207 頴稲伍萬捌阡貳伯肆拾肆束

208 糒伍伯貳拾玖斛

209 酒肆斗伍升

210 醸加貳斛伍斗

211 并貳斛玖斗伍升　雜用一斛九斗八升七合

212 塩肆升捌合肆夕貳撮半

213 買加壹斗捌升陸合伍夕

214 并貳斗参升肆合玖夕貳撮半　雜用一斗八升五合六夕五撮

雜用参阡壹伯伍拾壹束[illegible]半

215 雑用参仟壹伯伍拾壹束把半

216 出挙壹萬捌仟漆伯束　債稲充百姓五十四人　免稲千六百廿二束

217 定納本壹萬漆仟漆拾捌束　利八千五百卅九束

218 [illegible]

219 定壹拾斛伍斗陸升

220 穎稲陸萬貳仟陸伯陸拾玖束玖把半

221 糒伍伯貳拾玖斛

222 酒玖斗陸升参合

223 塩肆升玖合貳勺漆撮半

224 和銅五年検校穀壹仟捌拾玖斛捌斗肆升伍合玖勺貳撮

225 穎稲貳仟伍伯肆束

226 霊亀元年検校穀貳仟参伯漆拾肆斛捌斗漆升漆合半

227 養老四年検校穀肆伯参拾伍斛貳斗漆合貳勺

228 神亀三年検校穀[illegible]伯[illegible]斛参斗

229 正倉貳拾肆間　丄倉一間　凡倉廿三間　新造壹間　凡倉　修理参間　凡倉

230 税屋壹間

231 借倉壹間

K/正18(10)　J/正18(9)

232 借屋貳間

233 都合定貳拾捌間　不動穀倉二十三間　動穀倉二間　頴稲倉六間　糒倉一間　頴稲税屋一間
頴稲借屋一間　粟借倉一間　穀借屋一間　空倉三間

234 郡司少領外従七位下檜前舎人　何京

235 益頭郡天平九年定穀肆萬肆阡伍伯壹拾叁斛陸斗　振入四千卌六斛六斗九升
斛別入一升

236 定肆萬肆伯陸拾陸斛玖斗壹升

237 [illegible]肆萬壹阡柒伯[illegible]升

238 不動叁萬肆伯肆拾玖斛肆斗玖升

239 動壹萬壹阡叁伯壹拾叁斛玖斗肆升

240 粟陸斛柒斗叁升　振入六斗一升
斛別入一斗

241 定陸斛壹斗貳升

242 頴稲陸萬陸阡捌拾壹束陸把半

243 糒柒伯貳拾貳斛

244 酒貳斗叁升捌合

245 塩肆升伍合叁夕

246 神亀二年検校欠穀伍阡壹伯肆拾柒斛

247 正倉貳拾叁間　土倉一間
丸倉廿二間

248 税屋貳間

249 [illegible]

250 不動伍萬參阡伍伯肆拾壹斛捌升

251 動肆阡柒伯捌拾伍斛陸斗捌升

252 粟貳拾柒斛壹斗壹升　振入二斛四斗六升　斛別入一斗

253 定貳拾肆斛陸斗伍升

254 頴稻柒萬陸阡貳拾伍束貳把

255 糯陸伯陸拾陸斛

256 酒柒斗參升壹合

257 塩柒升陸合參勺貳撮半

258 霊龜元年撿校穴穀參伯壹斛伍斗陸升捌合

259 [illegible]　稲穀屋四間　頴借屋一間　粟倉一間　空倉一間　空板屋一間　空借倉一間

260 郡司少領外正八位上有度君　向京

261 安倍郡天平九年定穀伍萬玖阡陸伯肆拾伍斛參斗貳升　振入五千四百廿二斛三斗　斛別入一斗

262 定伍萬肆阡貳伯貳拾參斛貳升

263 不動肆萬捌阡柒伯柒拾陸斛柒斗五升

264 動伍阡肆伯肆拾陸斛貳斗柒升

265 粟肆拾捌斛陸斗陸升　振入四斛四斗二升　斛別入一斗

266 定肆拾肆斛貳斗肆升

267 頴稻捌萬伍伯伍拾捌束肆把

穎稲捌萬伍伯伍拾捌束肆把

268 糒玖伯捌拾斛伍斗陸升

269 酒參斗伍合

270 動伍阡肆伯柒拾陸斛捌斗捌升

271 粟伍拾柒斛伍斗玖升　振入五斛二斗三升　斛別入一斗

272 定伍拾貳斛參斗陸升

273 穎稲柒萬玖阡肆伯伍拾玖束捌把

274 糒伍伯玖斛捌斗

275 酒肆斗玖升捌合

276 醸加貳斛伍斗

277 并貳斛玖斗玖升捌合　雑用一斛八斗八升五合

278 [illegible]

10 伊豆国正税帳　天平十一年度

1 鞦壹拾料鞦手牛皮壹條 長四尺五寸 廣一寸五分 價稲
2 鞘壹口料馬皮壹條 長二尺五寸 廣四寸 價稲貳束伍把
3 毎年正月十四日讀金光明經四巻又金光明最勝王經
4 十巻合壹拾肆巻供養料稲肆拾玖束六把
5 佛聖僧及讀僧十四口合壹拾[illegible]供養料稲[illegible]束
6 伍把貳分
7 大豆餅卌二枚 小豆餅卌二枚 煎餅卌二枚
8 菽卌二了 布留卌二枚 并壹伯陸拾枚料稲陸
9 束肆把
10 麦菽卌二了料麦六斗四合 餅交料小豆六斗四合
11 并壹斗貳升捌合價稲貳束伍把陸分
12 餅交料大豆三升二合 煎料大豆三升二合 并陸升
13 肆合價稲壹束貳把捌分
14 塩壹升玖合貳夕價稲陸把肆分
15 胡麻油玖合陸夕 煎餅阿具良形 麦菽菁料 價稲捌束陸把肆
16 分
17 飴捌合 布留料 價稲參束貳把
18 醤肆升壹合貳夕捌撮價稲壹拾貳束參把捌分
19 末醤貳升肆夕捌撮 價稲肆束壹把

20 酢壹升壹合伍夕貳撮價稲貳束參把

21 依太政官天平十一年三月廿四日符講説最勝王経

22 調度價稲壹仟肆伯玖拾伍束

23 布施物買價稲壹仟肆伯肆拾束

24 生絁壹疋價稲壹伯束

25 糸伍拾伍絇價稲陸伯陸拾束

26 布參拾肆端價稲陸伯捌拾束

27 供養料稲伍拾伍束

28 佛聖僧及講師聴衆僧十二口沙弥三口合壹拾捌

29 軀供養料稲捌束肆把陸分

30 大豆餅卅六枚　小豆餅卅六枚　煎餅卅六枚

31 阿具良形卅六了　布留卅六枚并壹伯捌拾

32 枚料稲柒束貳把

33 麦形卅六了料麦六升八合　餅交料小豆六升

34 八合并壹斗參升陸合價稲貳束柒把貳分

35 餅交料大豆三升六合　煎料大豆三升六合并柒升

36 貳合價稲壹束肆把肆分

正19(2)

37 塩貳外壹合陸夕價稲漆把貳分

38 胡麻油壹外捌夕　煎餅阿具良形麦形等料　價稲玖束漆把

39 貳分

40 飴玖合　布留料　價稲叁束陸把

41 醤肆外陸合肆夕肆撮價稲壹拾叁束玖把

42 叁分

43 未醤貳外叁合肆撮價稲肆束陸把

44 酢壹外貳合玖夕陸撮價稲貳束伍把玖分

45 依太政官去天平九年三月十六日苻書寫大般若經調

46 度價稲陸仟玖伯漆拾玖束把伍分

47 浄衣料布叁拾叁段價稲叁伯叁拾束

48 紙継料大豆漆外捌合價稲壹束伍把伍分

49 筆壹伯伍拾捌管價稲壹伯伍拾捌束

50 墨肆拾玖廷價稲壹伯陸拾叁束叁把

51 寫大般若經肆伯貳拾漆巻　用紙七千八百八十一張

52　不用傳馬壹疋賣得稲伍拾束
53　死傳馬壹疋皮壹張賣得稲壹拾束
54　兵家稲天平十年定壹萬肆仟貳伯捌拾貳束　依兵部省 天平十一年
55　九月十四日 符混合
56　出擧伍仟束　償稲身死伯姓一人免稲百束
57　定納本肆仟玖伯束
58　利貳仟肆伯伍拾束　依兵部省天平十一年六月七日符悉免 之
59　合定兵家稲壹萬肆仟壹伯捌拾貳束
60　都合定穀漆萬陸仟肆伯漆拾斛壹斗玖升陸合
61　糙穎量定伍萬貳仟貳伯肆拾斛肆升陸合　五万一千 六百卅七
62　斛五斗九合斛別入七升　五百九十 二斛五斗三升七合斛別入一斗　合穎入叁仟肆伯叁拾
63　貳斛陸斗漆升陸合
64　定肆萬捌仟捌伯漆斛叁斗漆升
65　未糙貳萬肆仟貳伯叁拾斛壹斗伍升　一万一千三百卅 九斛六升二合
66　斛別入七升　一万二千八百八十 一斛八升八合斛別入一斗　合穎入壹仟玖伯壹拾叁
67　斛肆斗漆升
68　定貳萬貳仟叁伯壹拾陸斛陸斗捌升

定穀萬貳仟參伯壹拾陸斛陸斗捌升

69 合定實柒萬壹仟壹伯貳拾肆斛伍升

70 不動陸萬柒仟玖伯貳拾玖斛柒斗參升

71 動用參仟壹伯玖拾肆斛參斗貳升

72 穎稲壹拾陸萬參伯玖拾貳束陸把

73 糒參仟壹伯伍拾斛肆斗壹升

74 國儲貳仟柒伯捌拾肆斛柒斗玖升

75 兵倫參伯陸拾伍斛陸斗貳升

76 酒壹拾捌斛柒斗壹升壹合

77 醸加酒清濁并壹拾斛

78 合酒貳拾捌斛柒斗壹升壹合

79 雑用參斛玖斗壹升陸合　三斗七升織錦并神明膏萬病膏等酢分

80 遺貳拾肆斛柒斗玖升伍合　不動十一斛 二斗五升　瓱壹拾壹

81 口　不動 三口

82 醬貳斗貳升伍合　瓱壹口

83 末醬壹斗伍升　瓱壹口

84 酢伍斗貳升伍合　瓱壹口

85 正倉捌拾伍間

86 法倉壹拾間　在礎八間　无礎二間

法倉壹拾間

87 凡倉柒拾伍間　无礎

88 穀倉参拾貳間

89 不動倉貳拾陸間

90 動用倉陸間

91 穎倉参拾柒間

92 糒倉肆間

93 空倉壹拾貳間

94 鹽壹拾貳勾

95 不動倉鹽陸勾

96 常鹽陸勾

97 匙貳口不動（一口以神龜元年十二月廿九日附史生大初位上勳十等林連毛人進上／一口以天平元年正月廿一日附史生従七位下廣瀬臣光進上）

98 正倉印壹枚

99 貳處神戸天平十年定穎壹萬肆仟伍伯伍拾束

100 割用壹伯肆拾束神祭祀酒食料　春七十束　夏七十束

101 遺壹萬肆仟肆伯壹拾束

102 當年租肆伯玖拾壹束

103 調庸堅魚壹伯陸拾貳斤壹拾貳両壹貫得稲壹伯

103 調麁堅魚壹伯陸拾貳斤壹拾貳両賣得稲壹伯

104 肆拾束　以十一斤十両買稲十束

105 庸布伍段壹丈肆尺賣得稲伍拾伍束　以一段買稲十束

106 合定穎壹萬伍仟玖拾陸束

107 納倉玖間

108 屋壹間

109 鎰壹勾　常

110 田方郡天平十年定正税穀伍萬玖拾貳斛壹斗伍升柒合

111 穀振量定参萬伍仟柒伯捌斛伍斗玖升柒合　三万五千四百

112 七十九斛六升斛別八七升　二百卅九斛五斗三升七合斛別八一斗　合振入貳仟参伯

113 肆拾壹斛玖斗貳升柒合

114 定参萬参仟参伯陸拾陸斛陸斗柒升

115 未穀壹萬肆仟参伯捌拾参斛伍斗陸升　六千三百八十二斛一斗二升

116 二合斛別八七升　八千一斛四斗三升八合斛別八一斗　合振入壹仟壹伯肆拾

117 肆斛玖斗貳升伍合

118 定壹萬参仟貳伯参拾捌斛陸斗参升伍合

119 合定實肆萬陸仟陸伯伍斛参斗伍合

120 不動肆萬伍仟玖拾伍斛陸升

不動肆萬伍仟玖拾伍斛陸外

121 動用壹仟伍伯壹拾斛貳斗肆外伍合

122 穎稲玖萬肆仟貳伯貳拾漆束伍把

123 糒壹仟貳伯肆拾肆斛捌斗漆外 國儲八百七十九斛二斗五外 兵儲三百六十五斛六斗二外

124 酒陸斛貳斗貳外漆合

125 醤貳斗貳外伍合

126 末醤壹斗伍外

11 越前国大税帳　天平二年度

(106頁)

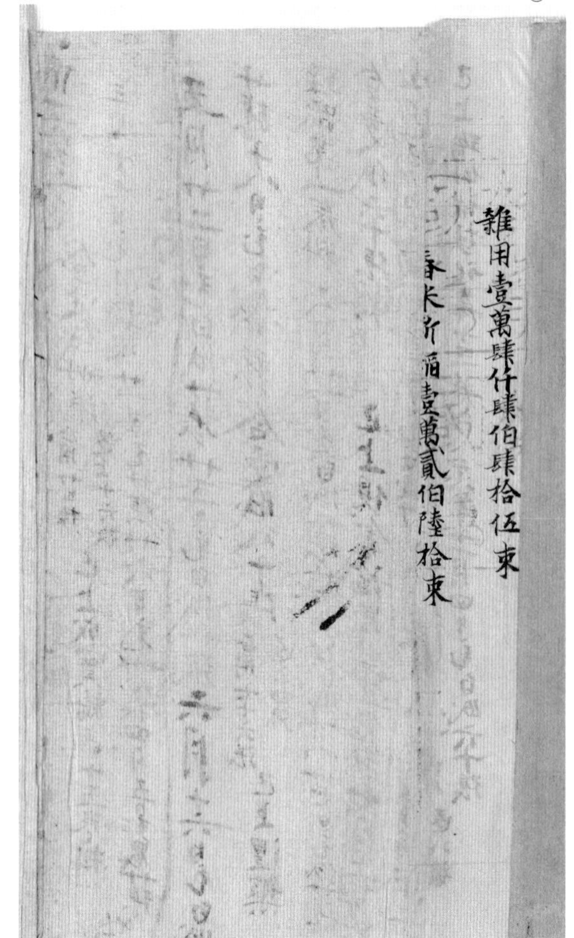

雜用壹萬肆仟肆伯肆拾伍束

舂米所稲壹萬貳伯陸拾束

F/続々35-6背(23)

残玖仟柒伯捌斛玖斗肆升

合定大税穀貳拾貳萬柒仟壹伯参拾玖斛柒斗陸升柒合柒夕　振入斛別一斗不動穀　万九千七百十三斛□斗

頴稲柒拾壹萬陸仟壹伯玖拾参束伍把

糒玖仟柒伯捌斛玖斗肆升　為粟一万九千四百一十七斛　別五斗　餘四斗四升

正倉貳伯捌拾肆間　破柒間　遺貳伯柒拾柒間

新造倉玖間　穀倉五間　屋壹拾貳間　新造屋壹間

倉下参間　借倉壹拾壹間　借屋参拾間　合参

伯肆拾参間　不動穀倉卅一間　穀倉八十八間　倉下二間　屋八間　頴倉八十五間　倉下一間　屋卅四間

糒倉廿間　空倉六十三間

屋一間

敦賀郡

天平元年定大税穀伍仟捌伯伍拾壹斛玖斗参升貳合陸夕

A/正27(2)

15 糒貳伯玖拾貳斛漆斗玖升

16 合定大税穀陸仟貳伯玖拾伍斛漆斗漆升貳合陸勺　振入斛別一升不動穀二千九百五十二斛六斗五升

17 頴稲壹萬伍仟参伯参束漆把

18 糒貳伯玖拾貳斛漆斗玖升　為褁五百八十五褁別五斗　余二斗九升

19 正倉壹拾伍間　借倉壹間　合壹拾陸間　不動

20 穀倉二間　穀倉七間　頴倉三間　糒倉一間　空倉三間

21 郡司少領外従八位上勲十二等角鹿直綱手

22 丹生郡

23 天平元年定大税穀伍萬伍仟壹伯陸斛肆斗伍升壹合玖勺

24 頴稲漆萬壹仟貳伯陸拾捌束陸把

25 雑用肆仟陸伯貳拾伍束

26 舂米料稲参仟伍伯捌拾束

27 近手粮料壹仟肆拾伍束

28 残陸萬陸仟陸伯肆拾参束陸把

29 出挙貳萬漆仟陸伯陸拾貳束

30 身死人負稲参仟捌伯肆拾束

31 残貳萬参仟捌伯貳拾貳束

32 利壹萬壹仟玖伯壹拾壹束

33 并参萬伍仟漆伯参拾参束

34 古稲参萬捌仟玖伯捌拾壹束陸把

53　52　51　50　49　48　47　46　45　44　43　42　41　40　39　38　37　36　35

古稲参萬捌仟玖伯捌拾壹束陸把

35 輸田租穀参仟参拾壹斛肆斗漆升　又去年四百九十五斛三升

36 食封租壹仟壹拾肆斛玖斗陸升　三百六十七斛五斗全給一所　六百卌七斛四斗六升二分之一給八所

37 公租貳仟壹拾陸斛伍斗壹升

38 納加賀郡貳伯漆拾捌斛漆斗参升

39 納當郡壹仟漆伯参拾漆斛漆斗捌升

40 振入壹伯伍拾漆斛玖斗捌升　斛別入一斗

41 納定壹仟伍伯漆拾玖斛捌斗

42 糒壹仟陸伯斛参升

43 合定大税穀伍萬陸仟陸伯捌拾陸斛貳斗伍升壹合玖勺　振入斛別一斗　不動穀二万二千六百四斛三斗六升

44 頴稲漆萬肆仟漆伯壹拾肆束陸把

45 糒壹仟陸伯斛参升　為糒三千二百斛　別五斗　舂三升

46 正倉伍拾貳間　破肆間　遺肆拾捌間　新造格

47 倉壹間　倉下壹間　借倉壹間　合伍拾壹間

48 不動穀倉九間　穀倉二十三間　倉下一間
頴倉八間　糒倉四間　空倉一十六間

49 郡司少領外正八位下勲十等佐味君浪麻呂

50 主政外従八位上勲十二等矢原連上与佐弥

51 主政外大初位下勲十二等生江臣積多

52 主帳外少初位上勲十二等坂本連宿奈麻呂

53 主帳无位丹生直伊可豆智

足羽郡

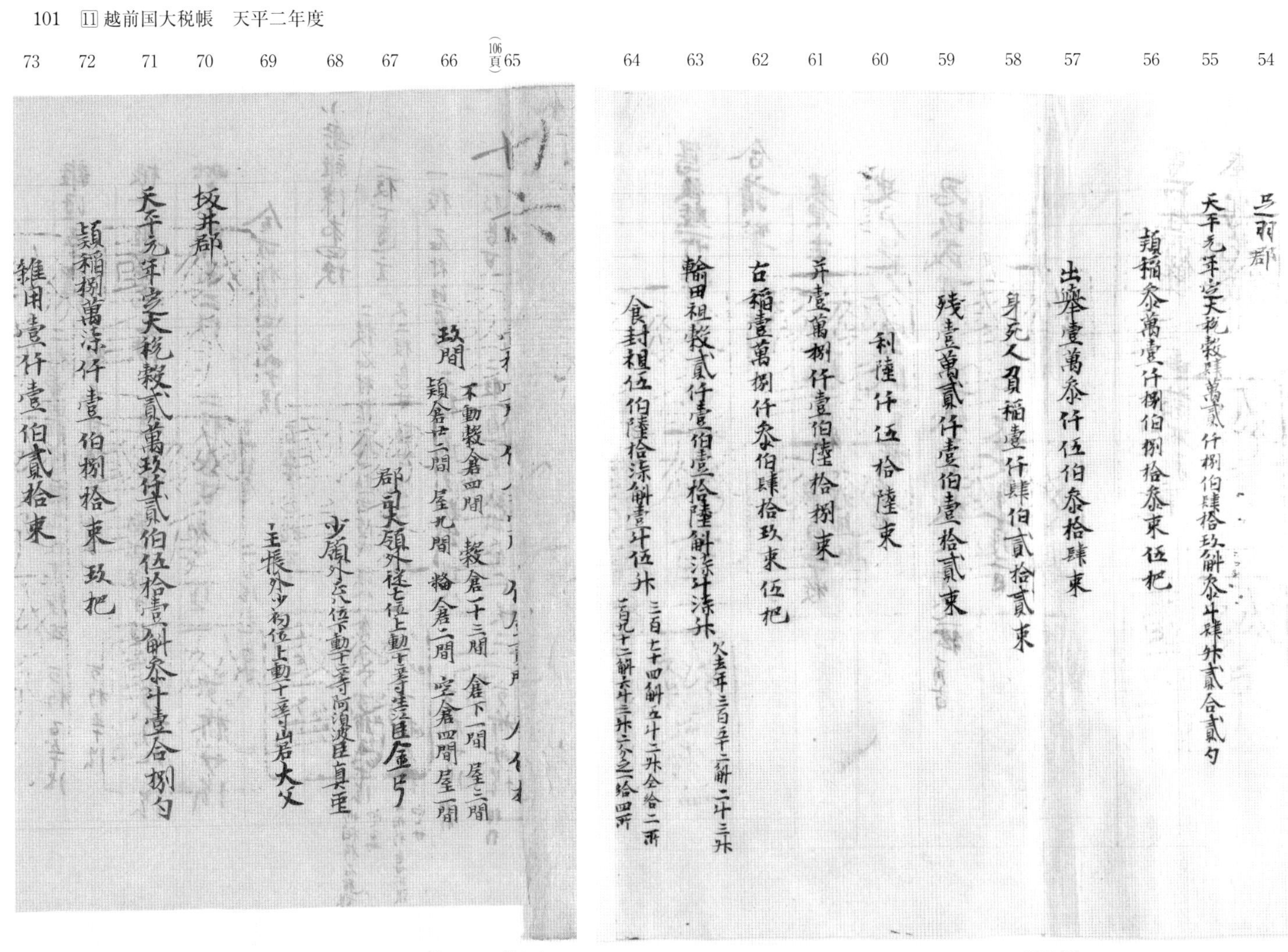

足羽郡
天平元年定大税穀肆萬貳仟捌伯肆拾玖斛參斗肆升貳合貳勺
頴稲參萬壹仟捌伯捌拾參束伍把
出挙壹萬參仟伍伯參拾肆束
身死人負稲壹仟肆伯貳拾貳束
残壹萬貳仟壹伯壹拾貳束
利陸仟伍拾陸束
并壹萬捌仟壹伯陸拾捌束
古稲壹萬捌仟參伯肆拾玖束伍把
輸田租穀貳仟壹伯壹拾陸斛漆斗漆升　欠去年三百五十二斛二斗三升
食封租伍伯陸拾漆斛壹斗伍升　三百七十四斛五斗二升全給二所　一百九十二斛六斗三升二分之一給四所

玖間　不動穀倉四間　穀倉十三間　倉下一間　屋二間　頴倉廿二間　屋九間　糒倉二間　空倉四間　屋一間
郡司大領外従七位上勲十二等生江臣金弓
少領外正八位下勲十二等阿須波臣真虫
主帳外少初位上勲十二等山君大父
坂井郡
天平元年定大税穀貳萬玖仟貳伯伍拾壹斛參斗壹合捌勺
頴稲捌萬漆仟壹伯捌拾束玖把
雑用壹仟壹伯貳拾束

C/続々19-8背(35)　　正27(5)

雜用壹仟壹伯貳拾束
春米料稲壹仟束
粟陸斛料稲壹伯貳拾束
殘捌萬陸仟陸拾束玖把
出擧壹萬參仟貳伯捌拾束
身死人負稲貳仟伍伯陸拾束
殘壹萬柒伯貳拾束

四百二十斛四斗
頴稲捌萬捌仟捌伯陸拾束玖把
糒壹仟肆伯伍斛　為嚢二千八百一十
　嚢別五斗
正倉肆拾參間　破參間　遺肆拾間　新造倉貳
間　屋壹間　倉下壹間　借倉陸間　借屋壹拾
肆間　合陸拾肆間　不動穀倉二十間　穀倉二十八間　屋二
間　頴倉一十二間　倉下一間　屋一十三
間　糒倉二間
空倉五間
郡司大領外正八位下三國真人
少領外正八位下勲十二等海直大食
江沼郡
天平元年定大税穀貳萬玖仟陸伯玖拾肆斛肆斗伍升參合
頴稲捌萬肆仟肆拾玖束肆把
雜用壹仟柒伯束

正27(7)　D/正27(6)

93 雜用壹仟漆伯束
94 舂米斛稲壹仟束
95 依民部省符給下等兵士壹拾肆人漆伯束
96 殘捌萬貳仟叁伯肆拾玖束肆把
97 為穀稲陸仟伍伯肆拾捌束叁把得穀陸伯伍拾肆斛捌斗叁升 束別得一斗
98 振入伍拾玖斛伍斗叁升 斛別入一升
99 納定伍伯玖拾伍斛叁斗
100 出舉叁萬壹仟陸伯漆拾束
101 身死人負稲伍伯伍拾束
102 殘叁萬壹仟壹伯貳拾束
103 利壹萬伍仟伍伯陸拾束
104 并肆萬陸仟陸伯捌拾束
105 縁民部省符買絁糸價稲伍仟束
106 殘肆萬壹仟陸伯捌拾束
107 古稲肆萬肆仟壹伯叁拾壹束壹把
108 輸田租穀壹仟叁伯捌拾壹斛伍升 欠去年二百一十一斛五升
109 食封租叁伯壹拾捌斛貳斗漆升 一百二十七斛五斗七升全給一所 二百斛七斗二升之一給二所
110 公租壹仟陸拾貳斛漆斗捌升漆合 加七合
111 振入玖拾陸斛陸斗壹升漆合 斛別入一升
112 納定玖伯陸拾陸斛壹斗漆升
糒壹仟玖伯肆拾伍斛

糙壹仟玖伯肆拾伍斛

113 合定大税穀参萬壹仟伍伯伍拾伍斛玖斗貳升参合 振入斛別一斗不動穀一万九百卌七斛九斗

114 穎稲捌萬伍仟捌伯壹拾壹束壹把

115 糙壹仟玖伯肆拾伍斛 為糵三千八百九十斛 糵別五斗

116 正倉肆拾貳間 新造倉参間 捨倉一間 合肆拾

117 伍間 不動穀倉三間 穀倉一十三間 穎倉一十三間 糙倉一間 空倉一十五間

118 郡司主政外従八位上勲十二等膳長屋

119 主政外大初位下勲十二等江沼臣大海

120 主帳外少初位上勲十二等江沼臣入鹿

121 主帳无位財造住田

122 加賀郡

123 天平元年定大税穀参萬捌仟捌拾斛貳斗伍升肆合貳勺

124 穎稲貳拾肆萬捌仟陸拾玖束貳把

125 出挙陸萬参仟参伯漆拾束

126 身死人負稲壹仟漆伯漆拾肆束

127 残陸萬壹仟伍伯玖拾陸束

128 送渤海郡使人使等食料伍拾斛

129 残貳仟漆伯参拾漆斛壹斗貳升

130 合定大税穀肆萬漆伯参拾漆斛漆斗陸升肆合貳勺 振入斛別一斗不動穀一万八千一百五十四斛六斗九升

131 穎稲貳拾漆萬漆仟玖拾参束貳把

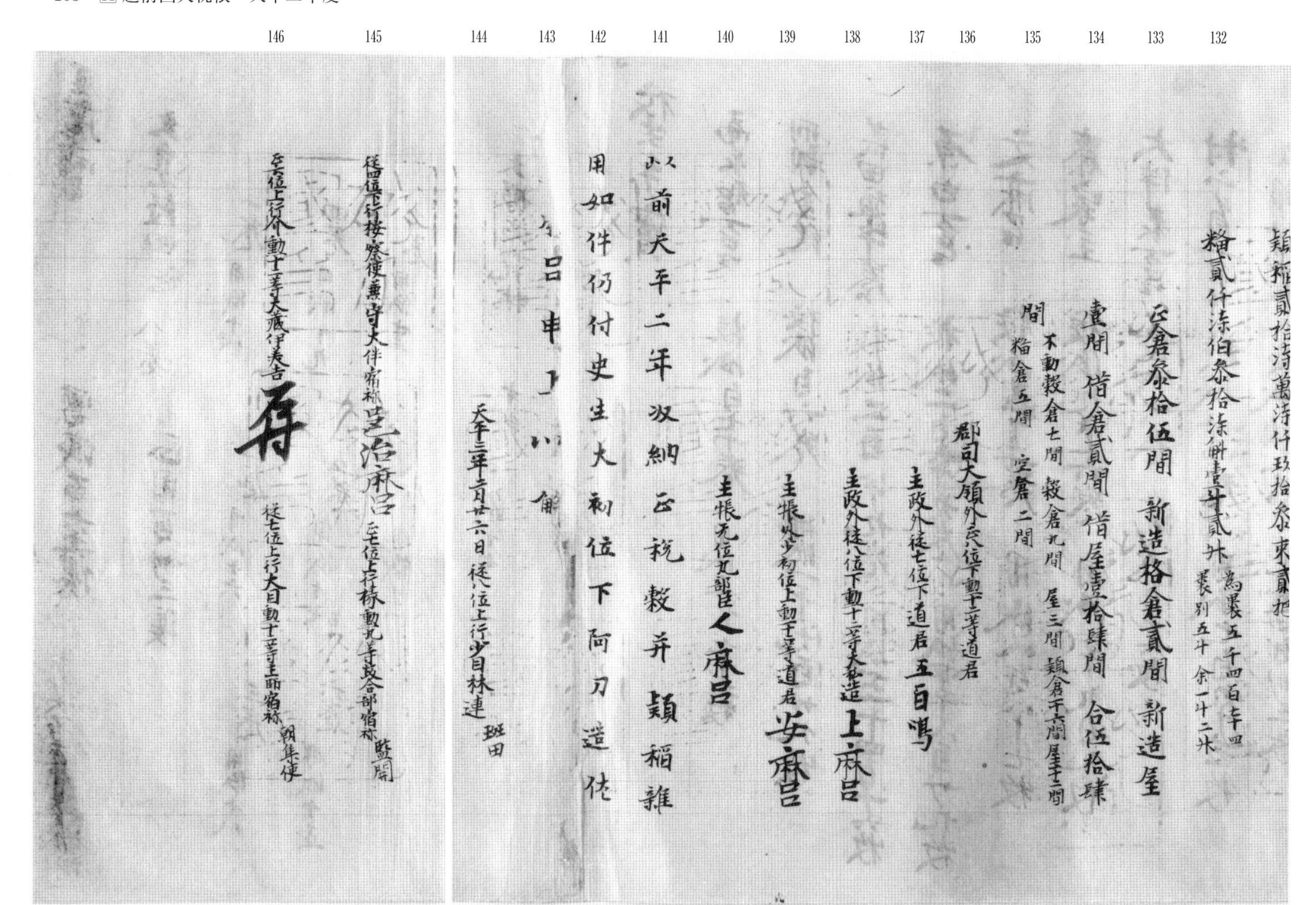
132　133　134　135　136　137　138　139　140　141　142　143　144　145　146

穎稲貳拾漆萬柒仟玖拾參束貳把
糒貳仟柒伯參拾柒斛壹斗貳升　為穀五千四百七十四　穀別五斗　余一斗二升
正倉參拾伍間　新造格倉貳間　新造屋
壹間　借倉貳間　借屋壹拾肆間　合伍拾肆
間　不動穀倉廿間　穀倉九間　屋三間　穎倉十六間　屋十二間　糒倉五間　空倉二間
郡司大領外正八位下勲十二等道君
主政外従七位下道君五百嶋
主政外従八位下勲十二等大私造上麻呂
主帳外少初位上勲十二等道君安麻呂
主帳无位丸部臣人麻呂
以前天平二年収納正税穀并穎稲雑
用如件仍付史生大初位下向刀造佐
呂申上以解
天平三年二月廿六日　従八位上行少目林連　斑田
従四位下行按察使兼守大伴宿祢[illegible]治麻呂　正七位上行掾勲九等[illegible]部宿祢　監聞
正六位上行介勲十二等大蔵伊美吉　存　従七位上行大目勲十二等土師宿祢　朝集使

正27(10)

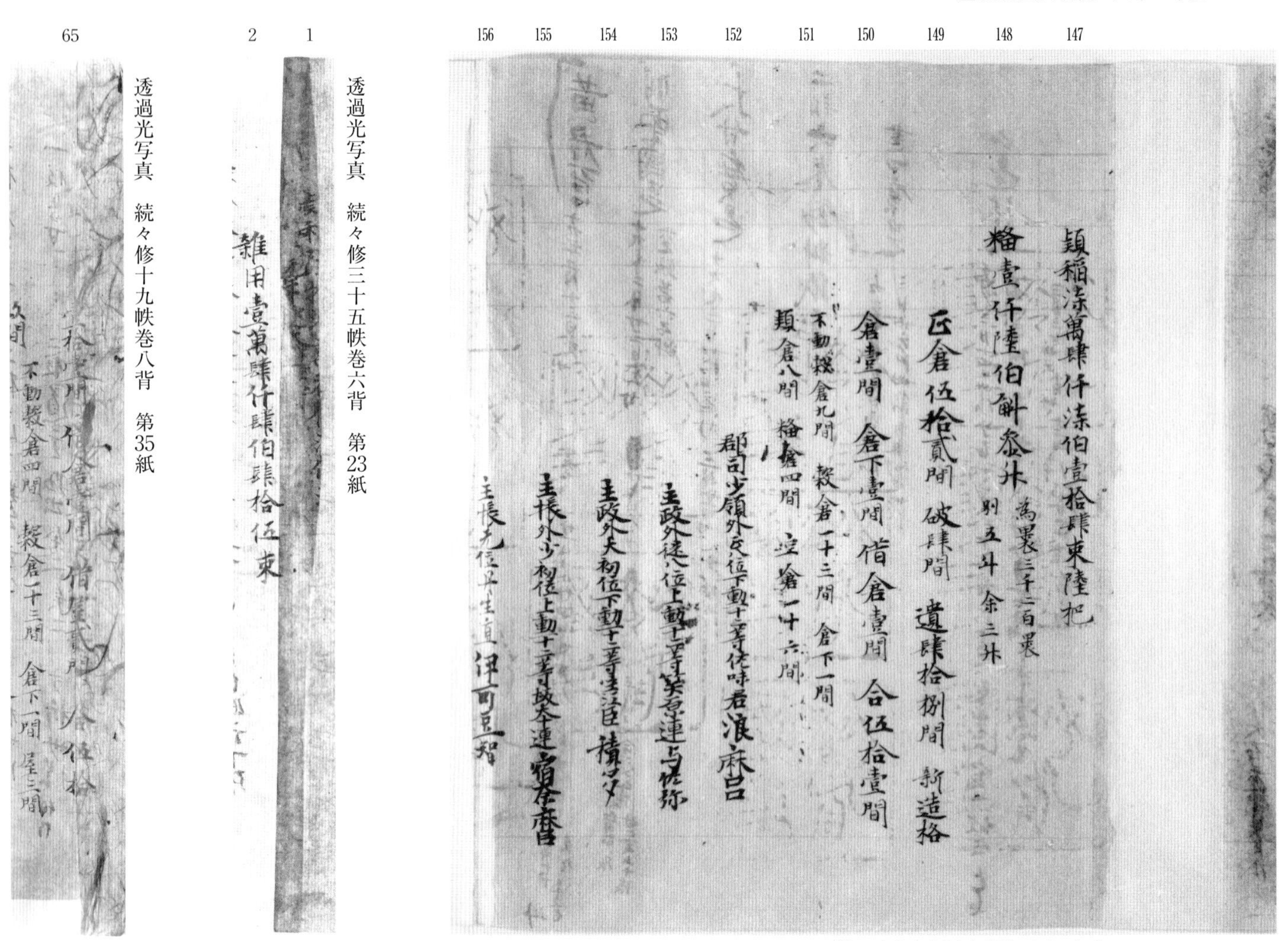

透過光写真　続々修十九帙巻八背　第35紙

透過光写真　続々修三十五帙巻六背　第23紙

『大日本古文書』未収断簡／正27(11)

12 越前国郡稲帳　天平四年度

遺肆萬貳仟伍伯玖拾捌束漆把五分
不用馬壹疋直稲伍拾束
死馬皮捌張直稲捌拾束　張別十束
都合定稲玖萬参仟玖伯陸拾捌束漆把玖分
雑用壹萬伍仟壹伯壹拾伍束伍把捌分
遺漆萬捌仟捌伯伍拾参束貳把壹分
酒参拾参斛陸斗参升貳合　汁廿八斛六斗三升二合　滓五斛
用壹拾肆斛貳斗肆升貳合　汁九斛二斗四升二合　滓五斛
遺壹拾玖斛参斗玖升
塩壹斛参斗捌合参夕伍撮
用陸斗漆升捌合肆夕伍撮
遺陸斗貳升玖合玖夕
正倉伍間　空四間　實壹間　屋参間　空　納借倉伍拾参間
屋壹拾伍間　并陸拾玖間
九日刀祢郡司及軍毅并参拾貳人食料稲陸束肆把
塩参合貳夕　酒壹斗陸升　人別稲二把塩一夕酒五合　丹生郡
讀誦金光明経捌巻　金光明最勝王経壹拾巻　齋會
之日用稲参

19 三人各稲四把塩二夕酒一升[illegible]八合
三人各稲三把塩一夕五撮
20 敦賀大野貳箇郡各経参箇日食料稲伍束
21 壹把塩貳合伍夕伍撮酒伍升肆合
22 丹生足羽坂井江沼肆箇郡各経伍箇日食料稲
23 捌束伍把塩肆合貳夕伍撮酒玖升
24 加賀郡経肆箇日食料稲陸束捌把塩参
25 合肆夕酒柒升貳合
26 従出羽国進上御馬伍匹経玖箇日飼秣料稲玖拾
27 束 匹別日二束 江沼郡
28 向京當国相様人参人経貳箇日食料稲貳束肆把
29 [illegible] 人別日稲四把 [illegible]
30 [illegible]
31 敦賀丹生貳箇郡肆拾肆人各経壹
32 箇日食料稲壹拾柒束陸把塩捌
33 合捌夕
34 足羽坂井江沼加賀肆箇郡陸人各経壹箇
35 日食料稲貳束肆把塩壹合貳夕
36 領催調庸様従六位上勲九等坂合部宿祢葛木

37 月廿日至十二月卅日合玖拾箇日食料稲貳伯
38 伍拾貳束 日別三束八把
大野郡
39 検舶使従六位上弟国若麻呂肆駄傳符壹枚食料
40 稲陸束肆把塩参合貳夕酒肆升 丈別稲四把 塩二夕酒一升
41 三人別稲 四把塩二夕
42 敦賀丹生貳箇郡各経貳箇日食料稲参
43 束貳把塩壹合陸夕酒貳升
44 赴新任所能登国史生少初位上大市首国勝壹拾駄
45 漆封傳符壹枚食料稲漆束貳把塩参合
46 陸夕酒陸升 一升丈別稲四把塩二夕
47 敦賀丹生足羽坂井江沼加賀陸箇郡各経壹
48 箇日食料稲壹束貳把塩陸夕酒壹升
49 新任大目従七位上勲十二等中臣高良比連新羅赴十一月
50 十日至十二月卅日伍拾壹箇日食料稲捌拾
51 陸束漆把 日別一束七把
大野郡
52 賚太政官逓送符壹拾道従若狭国到来使
53 壹拾人 留當国符五道更於 能登国逓送 符五道 食料稲壹拾

54 菫子参斛直稲陸拾束（以十束充一斛）
55 足羽郡弐拾束　坂井郡肆拾束
56 糯米参拾斛析稲陸伯束（斛別廿束）
57 足羽郡捌拾束　大野郡肆拾束
58 江沼郡弐伯捌拾束　加賀郡弐伯束
59 醸酒析稲参伯伍拾束
60 丹生郡漆拾束　足羽郡漆拾束
61 大野郡漆拾束　江沼郡漆拾束
62 加賀郡漆拾束
63 錦綾羅機合壹拾参具綜壹伯壹拾肆條
64 錦機別廿八條羅機別二條綾機別六條　析糸壹伯参拾捌斤捌両直
65 稲参仟肆伯陸拾弐束伍把（斤別廿五束）
66 錦機弐具綜伍拾陸條（機別廿八條）析糸肆拾弐斤
67 羅機弐具綜肆條（機別二條）析糸玖斤
68 綾機玖具綜伍拾肆條（機別六條）析糸捌拾漆斤捌両
69 大野郡壹仟捌伯束　江沼郡壹仟陸伯陸拾弐
70 束伍把
71 塩漆斗直稲参拾伍束（以五把充一升）

塩涼斗直稲参拾伍束　八五把充一升

72 敦賀郡伍束　丹生郡壹拾伍束

73 坂井郡伍束　江沼郡伍束

74 加賀郡伍束

75 敦賀郡天平三年定郡稲参仟捌拾陸束陸把

76 出挙壹仟参拾陸束　利五百十八束

77 合納壹仟伍伯伍拾肆束

78 残貳仟伍拾束陸把

79 死馬皮壹張直稲壹拾束

80 都合稲参仟陸伯壹拾肆束陸把

81 用涼伯貳拾陸束伍把

82 残定貳仟捌伯捌拾捌束壹把

83 酒参斛肆斗捌合

84 用壹斛壹斗参升陸合

85 残壹斛玖斗壹升貳合

86 塩壹斗陸升伍合壹夕

87 用陸升伍合涼夕伍撮

88 残玖升玖合参夕伍撮

89 残玖升玖合參夕伍撮

90 正倉壹間　空　借倉壹間

　　郡司　少領外従八位上勲十二等角鹿直綱手
　　　　　主帳无位𤥨江比良夫

91 丹生郡天平三年定郡稲壹仟貳伯玖拾肆束伍把肆分

92 出挙壹仟貳伯玖拾肆束伍把肆分　債稲身死人免稲六束

93 定納本壹仟貳伯參拾肆束伍把肆分　利六百十七束二把七分

94 合納壹仟捌伯伍拾壹束捌把壹分

95 一送加賀郡穎貳仟束

96 死馬皮參張直稲參拾束　張別十束

97 都合稲參仟捌伯捌拾壹束捌把壹分

98 用貳仟肆伯參拾漆束漆把

99 残定壹仟肆伯肆拾肆束壹把壹分

100 酒伍斛參斗壹升捌合　當年醸五斛　古三斗一升八合

101 用貳斛伍斗伍升陸合　汁一斛五斗五升六合　糟一斛

102 残貳斛漆斗陸升貳合

103 塩參斗漆升陸合玖夕

104 用貳斗漆升捌合玖夕

105 残玖升捌合

106 残玖升捌合

107 借倉壹間

郡司　大領外従伍位下勲十二等佐味君浪麻呂

108 □郡天平三年定郡稲壹萬伍仟伍伯玖拾束参把捌分

109 出挙漆仟参伯陸拾束　債稲身死人免稲一百卒束

110 定納本漆仟貳伯壹拾束　利三千六百五束

111 一　合納壹萬捌伯壹拾伍束

112 残捌仟貳伯参拾束参把捌分

113 用参仟漆伯伍束貳把捌分

114 二　残陸伯陸拾陸束貳把玖分

115 酒伍斛漆斗陸升壹合　右七斗六升一合　當年醸五斛

116 用壹斛漆斗伍升肆合　計七斗五升四合　滓一斛

117 残肆斛漆合

118 塩捌升壹合漆夕伍撮

119 用参升玖合漆夕伍撮

120 残肆升貳合

121 正倉貳間　空　借屋壹間

122 定納本參仟柒伯柒拾捌束 利……

123 合定納伍仟陸伯陸拾柒束

124 殘壹萬貳仟陸伯陸拾束陸把

125 死馬皮壹張直稲壹拾束

126 都合稲壹萬捌仟參伯參拾柒束陸把

127 用捌伯參拾玖束

128 殘壹萬柒仟肆伯玖拾捌束陸把

129 酒貳斛玖斗壹升貳合

130 用壹斛參斗伍升貳合

131 殘壹斛伍斗陸升

132 塩壹斗陸升壹合捌夕

133 用柒升貳合

134 殘捌升玖合捌夕

135 正倉貳間 空　借倉貳拾間　借屋壹間　并貳拾壹間

136 郡司　少領外従八位上勲十二等海直大食
主政无位品遅部廣耳

137 江沼郡天平三年定郡稲柒仟貳伯玖拾陸束

138 出擧陸仟貳伯肆拾陸束 利三千一百廿三束

139 合納玖仟參伯陸拾玖束

合納玖仟参伯陸拾玖束

140 残壹仟伍拾束

141 死馬皮壹張直稲壹拾束

142 用貳斛陸斗漆升貳合　漆一斛　[illegible]一斛六斗七升二合

143 残貳斛伍斗壹升肆合

144 塩壹斗漆升壹合玖夕

145 用捌升陸合

146 残捌升伍合玖夕

147 正倉貳間 空一間　實壹間

148 郡司　大領外従六位下勲十二等江沼臣武良士

149 加賀郡天平三年定郡稲参萬漆伯捌束貳把玖分

150 出挙壹萬貳仟壹伯壹束捌分　債稲身死人免稲 三百卅束

151 定納本壹萬壹仟漆伯捌拾壹束捌分　利五千 八百八十

152 束五把　四合

153 合納壹萬漆仟陸伯漆拾壹束陸把貳分

154 残壹萬捌仟陸伯漆束貳把壹分

155 都合稲参萬陸仟貳伯漆拾捌束捌把参分

[illegible]沼郡貳千束

正28(13)　H/正28(12)

156 移丹生郡貳仟束

157 之參萬肆仟貳伯漆拾捌束捌把參分

158 用壹仟參拾伍束壹把

159 殘參萬參仟貳伯肆拾參束漆把參分

160 酒伍斛漆斗玖升貳合　古七斗九升二合　當年醸五斛

161 用貳斛肆斗參升陸合　汁一斛四斗三升六合　滓一斛

162 殘參斛參斗伍升陸合

163 塩壹斗漆升玖合玖夕

164 用漆升貳合

13 佐渡国正税帳　天平四年度

1 定叅萬伍仟捌伯伍拾漆斛漆斗伍合捌夕貳撮

2 玖伯玖拾捌斛伍斗伍升　振入九十斛七斗八升　斛別入一斗

3 定玖伯漆斛漆斗漆升

4 動用壹萬伍仟玖伯肆拾伍斛壹斗貳升　振入一千四百卌九斛五斗五升　斛別入一斗

5 定壹萬肆仟肆伯玖拾伍斛伍斗漆升

6 合定實伍萬壹仟貳伯陸拾壹斛肆升伍合捌夕貳撮

7 不動叅萬陸仟漆伯陸拾伍斛肆斗漆升伍合捌夕貳撮

8 動用壹萬肆仟肆伯玖拾伍斛伍斗漆升

9 穎稲陸萬叅仟捌伯肆拾漆束

10 雜用穀叅拾貳斛捌斗

11 依天平四年七月五日官符賑給高年及鰥寡惸獨

12 并漆拾人振量穀叅拾貳斛捌斗　八十歳二人別八斗八十歳十五人鰥卅一人寡

13 六人惸七人獨九人并六十八人別四斗　其振所入三斛二斗八升返納本倉

14 出擧穎稲壹萬伍仟漆伯漆拾陸束　債稲身死伯姓卅五人免稲本二千五百七十束

14 佐渡国正税帳　天平七年度以降

1 不動參萬柒仟伍佰柒拾肆斛捌斗肆升貳合貳夕貳撮

2 參萬陸仟伍佰玖拾陸斛貳斗陸升參合貳夕貳撮　振入三千七十二斛四斗四升二合八夕九撮　斛別入六升

3 定參萬肆仟伍佰貳拾肆斛捌斗貳升參夕參撮

4 玖伯柒拾捌斛伍斗柒升玖合　振入八十八斛九斗六升　斛別入一升

5 定捌伯捌拾玖斛陸斗壹升玖合

6 天平七年檢校不動穀腐所除代償參伯玖拾伍斛玖斗參升

7 壹合柒夕玖撮　振入廿二斛四斗　斛別入六升

8 定參伯柒拾參斛伍斗參升壹合柒夕玖撮

9 不動貳萬玖伯玖拾柒斛肆斗伍升玖合

10 貳萬壹拾捌斛捌斗捌升　振入一千一百卅三斛一斗二合八夕九撮　斛別入六升

11 定壹萬捌仟捌伯捌拾伍斛柒斗柒升柒合壹夕壹撮

12 玖伯柒拾捌斛伍斗柒升玖合　振入八十八斛九斗六升　斛別入一升

13 定捌伯捌拾玖斛陸斗壹升玖合

14 天平七年檢校不動穀腐所除代償參伯柒拾斛玖斗貳

15 升肆合伍夕　振入廿斛九斗九升　斛別入六升

B/正28(17)　A/正28(16)

升肆合伍夕 斛別入六升

16 定参伯肆拾玖斛玖斗参升肆合伍夕

17 動用貳萬肆伯柒拾捌斛柒斗貳升 振入一千八百六十三斛七斗 斛別入一升

18 定壹萬捌仟陸伯壹拾柒斛貳升

19 合定穀参萬捌仟柒伯肆拾貳斛参斗伍升陸合壹撮

15 但馬国正税帳

天平九年度

舊塩壹拾捌斛貳斗肆升玖合

舊酒貳拾伍斛肆斗玖升貳合　精捌斛　加末多知

依天平九年五月十九日恩　勅賑給高年不

及鰥寡惸独之徒合壹仟貳伯壹拾

壹人穀肆伯捌拾捌斛肆斗　九十歳十人〻別八斗　八十歳以下一千二百

一人〻別四斗

雑用類稲貳萬漆仟漆拾貳束捌把

酒壹拾斛参斗貳升陸合

加末多知　精捌斛　賑給疫病者一千六百人〻別五合

末醤貳升伍合陸夕　供養料

醤伍升壹合陸夕　供養料

塩肆斗捌合壹夕

年料舂白米参伯斛　充稲陸仟束

割庸進舂米壹伯斛　充稲貳仟束

依民部省天平九年二月十日符進上嶋宮

奴婢食米参拾斛　充稲陸伯束

依民部省天平九年十二月十二日符進上官

18 奴婢食米参拾斛　充稲陸伯束

19 將皃豆貳拾陸斛　充稲貳伯捌拾陸束　斛別十一束

20 御履牛皮貳張　充直稲壹伯玖拾束　一張百束　一張九十束

21 都我不番進丁粮米壹伯陸斛肆斗　充稲貳仟壹伯

22 貳拾捌束　進丁十二人起正月一日迄九月廿九日合二百六十五日　單三千一百八十日食料米六十三斛六斗人別二升

23 造難波宮司雇民食米雜穀伍斛　充稲壹

24 伯伍拾束　斛別卅束

25 正月十四日讀經供養料　充稲伍拾貳束玖把

26 讀經貳部　金光明經八巻　最勝王經十巻　讀僧壹拾捌口

27 佛聖僧貳座　合貳拾軀供養料

28 飯料米肆斗　充稲捌束

29 粥料米陸升　充稲壹束貳把

30 糯料米壹升　充稲貳把

31 大豆餅肆拾枚料米捌升　五枚別得　充稲壹束陸把

32 小豆餅肆拾枚料米捌升　五枚別得　充稲壹束陸把

33 煎餅肆拾枚料米捌升　五枚別得　充稲壹束陸把

環餅肆拾枚料米捌升　五枚別得　充稲壹束陸把

34 阿米乃
餜餅肆拾枚料米捌升 〻別浮五枚 充稲壹束陸把

35 朝来郡桙坂神戸租代卅九束九把同郡粟鹿神戸
租代六十六束二把 養父郡養父神戸租代百

36 卅五束五把 出石郡出石神戸
租代四百卅五束六把

37 依太政官天平九年六月廿六日符賑給疫

38 病之徒合壹仟肆伯壹拾貳人粥糟 留阿米

39 料稲壹仟貳伯貳拾漆束伍把

40 一千卅三人〻別一束
三百六十九人〻別五把

41 依民部省天平九年十二月八日符割充年

42 料讀経布施料絁貳拾肆絇直稲

43 貳伯肆拾束 絇別十束

44 依令元日設宴充稲伍束貳把

45 酒貳斗陸升

46 拝朝参國司以下軍毅以上惣廿六人
〻別給米一升酒一升

47 年料修理器仗 短甲十三領 箭三百卅一具 大角
一口 小角一口 弓五十五張

48 槍七十四柄 振鼓五面
鑼一柄 楯四枚 料雜用充稲壹仟壹伯肆拾肆束

49 馬皮壹張 長四尺七寸
廣二尺八寸 直稲壹拾肆束

50 鹿洗韋參拾參張直稲參伯漆拾束

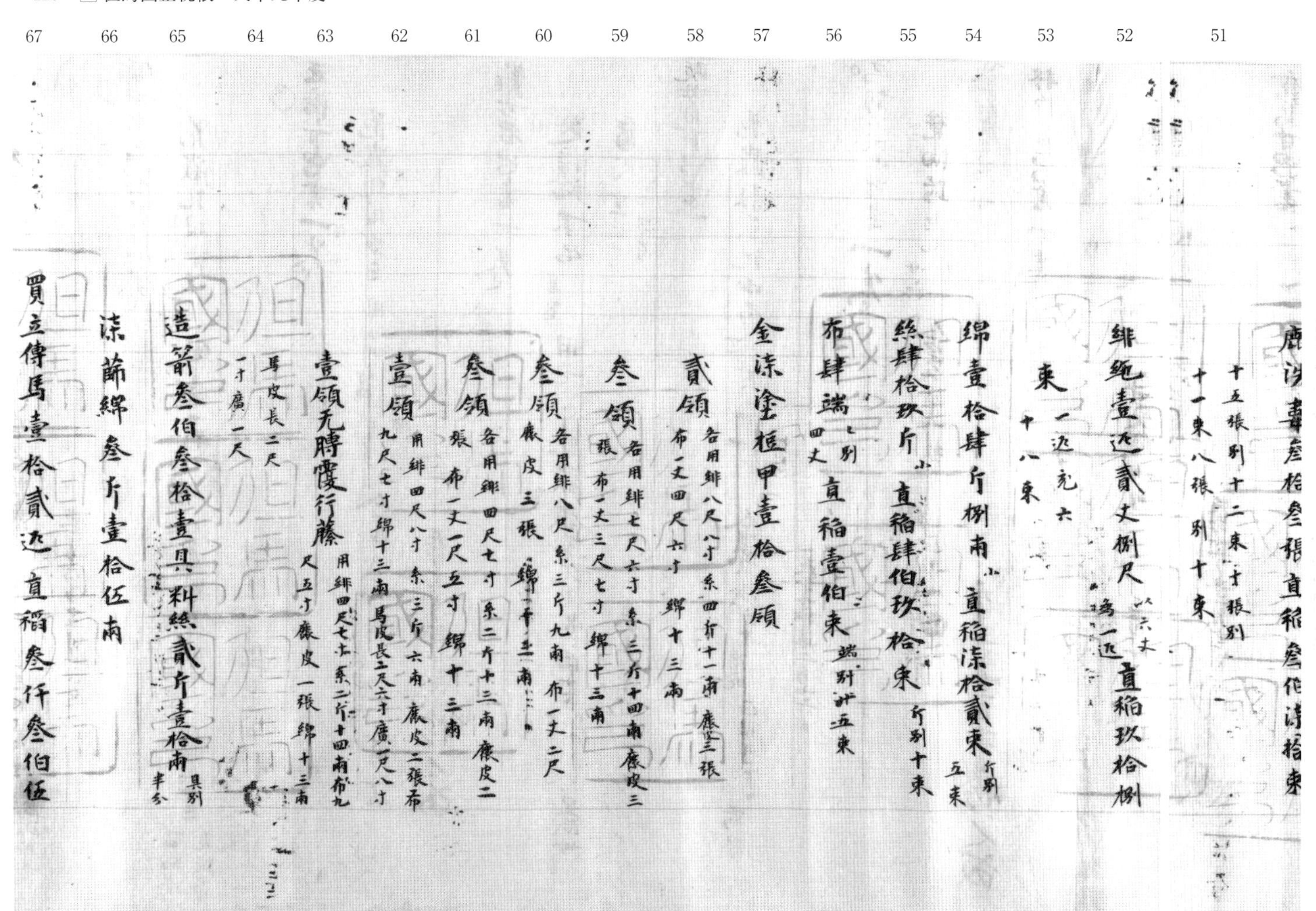

51 鹿決韋参拾参張直稲参伯漆拾束　十五張別十二束　十張別十一束　八張別十束

52 緋絁壹疋弐丈捌尺　以六丈為一疋　直稲玖拾捌束

53 束　一疋充六十八束

54 綿壹拾肆斤捌両　直稲漆拾弐束　斤別五束

55 絲肆拾玖斤　直稲肆伯玖拾束　斤別十束

56 布肆端　〻別四丈　直稲壹伯束　端別廿五束

57 金漆塗桓甲壹拾参領

58 弐領　各用緋八尺八寸　糸四斤十一両　鹿皮三張　布一丈四尺六寸　綿十三両

59 参領　各用緋七尺六寸　糸三斤十四両　鹿皮三張　布一丈三尺七寸　綿十三両

60 参領　各用緋八尺　糸三斤九両　布一丈二尺　鹿皮三張　綿十一両

61 参領　各用緋四尺七寸　糸二斤十三両　鹿皮二張　布一丈一尺五寸　綿十三両

62 壹領　用緋四尺八寸　糸三斤六両　鹿皮二張　布九尺七寸　綿十三両　馬皮長二尺六寸　廣一尺八寸

63 壹領无聘霞行藤　用緋四尺七寸　糸二斤十四両　布九尺五寸　鹿皮一張　綿十三両

64 馬皮長二尺一寸　廣一尺

65 造箭参伯参拾壹具料絲弐斤壹拾両　具別半分

66 漆節綿参斤壹拾伍両

67 買立傳馬壹拾弐疋　直稲参仟参伯伍

68 拾束（七迄〻別三百束〻五迄　〻別二百卆束）

69 當國所遣驛傳使并壹拾人将従壹拾伍人

70 合貳拾伍人經國單壹伯漆日（使卌日　将従六

71 十七日）充稲参拾陸束壹把（使別四把　将従三把）

72 塩壹升捌合伍撮（使別二夕　将従別一夕五撮）

73 酒肆斗（使別一升）

74 依奉貳度幣帛所遣驛使單陸拾日

75 （使廿日　将従卌日）

76 使従七位下中臣葛連千稲将従二人合三人　使従八位上中臣連尓伎比等将従二人合三人

77 二度使並經十日〻別給米一斗酒二升

78 賷免罪赦書来驛使單壹拾伍日（使五日　将従十日）

79 丹後國史生正八位上檜前村主稲麻呂将従二人　合三人經二日〻別給米五升酒一升

80 送因播國當國大領正八位上忍海部廣庭将従二人合三人經三日〻別給米五升酒一升

81 賷免罪并賑給赦書来驛使單壹拾貳日

82 （使五日　将従七日）

83 丹後國目正八位上臺忌寸國依将従二人合三人經二日〻別給米五升酒一升

84 送因播國當國史生大初位上大石村主廣道将従一人合二人經三日〻別給米三升五合酒一升

經三日〻別給米三升五合酒一升

85 貢太政官逓送免田租詔書来使單壹

86 拾日 使五日 將従五日

87 丹後國少毅无位丹波直足嶋將従一人合二人 經二日〻別給米三升五合酒一升送日播國當

88 國火毅外大初位下品治部君大隅將従一人 合二人經三日〻別給米三升五合酒一升

89 貢太政官逓送疫病者給粥饘料符来使單

90 壹拾日 使五日 將従五日

91 丹後國与射郡大領外従八位上海直忍立 將従一人合二人經二日〻別給米三升

92 五合酒 一升

93 送日播國當國氣多郡主帳外少初位 上桑氏連老將従一人合二人經三日〻

94 別給米三升 五合酒一升

95 經過上下傳使肆拾漆人従壹拾漆人

96 合陸拾肆人單壹伯肆拾肆日 使一百 二日

97 將従卅 二日

98 充稲伍拾參束肆把 使日別四把 將従日別三把

99 塩貳升陸合漆夕 使日別二夕將従日 別一夕五撮

100 酒壹斛貳升 使日別一升

101 赴任所貳箇國傳使單貳拾捌日 使四 日

伯耆國傳使單貳拾捌日
日
將従廿四日
給米肆斗肆升酒肆升
同播磨國守従五位下丹比真人家主將従九人
合十人經二日々別給米一斗五升五合
酒一升
出雲國掾従六位下犬甘宿祢黒麻呂將従三人
合四人經二日々別給米六升五合酒一升
上下貳箇國中宮職従稲使單貳
拾肆日 使十三日 將従十二日 給米肆斗貳升酒壹
斗貳升
中宮職稲穀[illegible]
壹伯柒拾壹束伍把 使日別四把 將従日別三把
酒貳斛肆斗伍升 使日別一升
舎人少初位上巨勢朝臣長野將従一人并二人依
例出挙事起二月一日迄六月廿九日并百卌八日
又収納事起九月一日迄十二月九日
并九十七日惣二百卌五日
朝集雑掌貳人單參伯玖拾肆日給食稲
壹伯壹拾捌束貳把 人別三把
塩伍升玖合壹夕 人別日一夕五撮
雑掌二人起天平九年正月一日迄五月十日并百
卅日又同年十一月一日迄十二月卅日并五十九日合單
三百九十

118 三百九十 四日料

119 新任國司壹人比及秋狀給食料稲參

120 佰壹拾參束陸把

121 守外従五位下大津連船人 起九月七日迄十二月廿日合百十二日 公廨田二町准穫稲充日別二束八把

122 國司巡行所部壹拾壹度官人參拾捌人將従

123 伍拾玖人合玖[illegible]

124 紲單壹仟柒伯玖拾伍日 目已上二百九十八日 史生四百二日 將従一千九十五日

125 充稲陸伯捌束伍把 史生已上七百日〻別四把 將従一千九十五日〻別三把

126 酒陸斛壹斗玖升陸合 目已上二百九十八日〻別一升 史生四百二日〻別八合

127 塩參斗肆合貳夕伍撮 史生已上七百日〻別二夕 將従一千九十五日〻別一夕五撮

128 春秋貳度出擧官稲巡行官人單參伯陸

129 拾日 目已上五十四日 史生九十日 將従二百十六日

130 目一人將従二人 史生二人將従二人 醫師一人將従一人 合九人紲十八日〻別給米一斗五升五合 酒三升四合

131 夏守一人將従三人 目一人將従二人 史生二人將従二人 合十一人紲十八日〻別給米一斗八升五合 酒三升六合

132 為觀風俗并問伯姓消息巡行官人單壹伯

133 玖拾捌日 目已上卅六日 史生卌六日 將従百廿六日

134 守一人將従三人 目一人將従二人 史生二人將従二人 合十一人紲十八日〻別給米一斗八升五合 酒三升六合

149　148　147　146　145　144　　143　142　141　140　139　138　137　136　135

合十一人経十八日々別給米一斗八升五合酒三升六合
領催伯姓産業巡行官人単壹伯貳拾陸
日　目已上十八日　史生卅六日
将従七十二日
目一人将従二人　史生二人将従二人　合七人経十八日
々別給米一斗二升　酒二升六合
責計帳手実巡行官人単貳伯肆拾漆日
目已上卅八日　史生五十七日
将従百五十二日
守一人将従三人　目一人将従二人　史生二人将従二人
医師一人将従一人合十三人　経十九日々別　給米二斗
二升　酒
四升四合
検校田租巡行官人単壹伯貳拾陸日
目已上十八日　史生卅六日
将従七十二日
為穀穎稲巡行官人単壹伯壹拾貳日
目已上十六日　史生卅二日
将従六十四日
目一人将従二人　史生二人将従二人合七人
経十六日々別給米一斗二升　酒二升六合
検校庸物巡行官人単貳伯参拾壹日
目已上卅二日　史生卅二日
将従百卅七日
守一人将従三人　目一人将従二人　史生二人将従二人合十
一人　経廿一日々別給米一斗八升五合　酒三升六合
又内當年[illegible]稲巡行官人単壹伯[illegible]日

F/正29(12)

150 収納當年官稲巡行官人單壹伯捌拾玖日
151 目已上卅二日　史生廿一日
将従百廿六日
152 守一人将従三人　目一人将従二人　史生一人将従一人
合九人経廿一日、別給米一斗五升酒二升八合
153 依例供給尼肆口單壹仟肆伯壹拾陸日給食
154 稲伍伯陸拾陸束肆把　起正月一日尽十二月卅日
合三百五十四日、別一束六把
155 塩貳斗捌升参合貳夕　尼別日二夕　價稲貳拾捌束
156 参把　以一束得塩一升
157 依例造蘇伍壷　大二　小三　乳牛壹拾参頭　取乳廿日
158 單貳伯陸拾頭　秣稲壹伯肆束　牛別日四把
159 依太政官天平九年四月廿八日逓送符買進上奴
160 壹人直稲壹仟束
161 依民部省天平九年十月五日逓送符買充
162 神戸調絁参拾参匹参丈直稲貳仟
163 壹拾束　匹別六十束
164 朝来郡粟鹿神戸調絁二匹四丈五尺直稲百
六十五束　同郡柙坂神戸調絁三匹一丈五尺直
165 稲百九十五束　養父郡養父神戸調絁六匹四丈五尺
直稲四百五束　出石郡出石神戸調絁廿匹四丈五尺直
166 稲一千二百
卅五束
運雑物向京夫壹仟陸拾人　行程壹拾日　向京

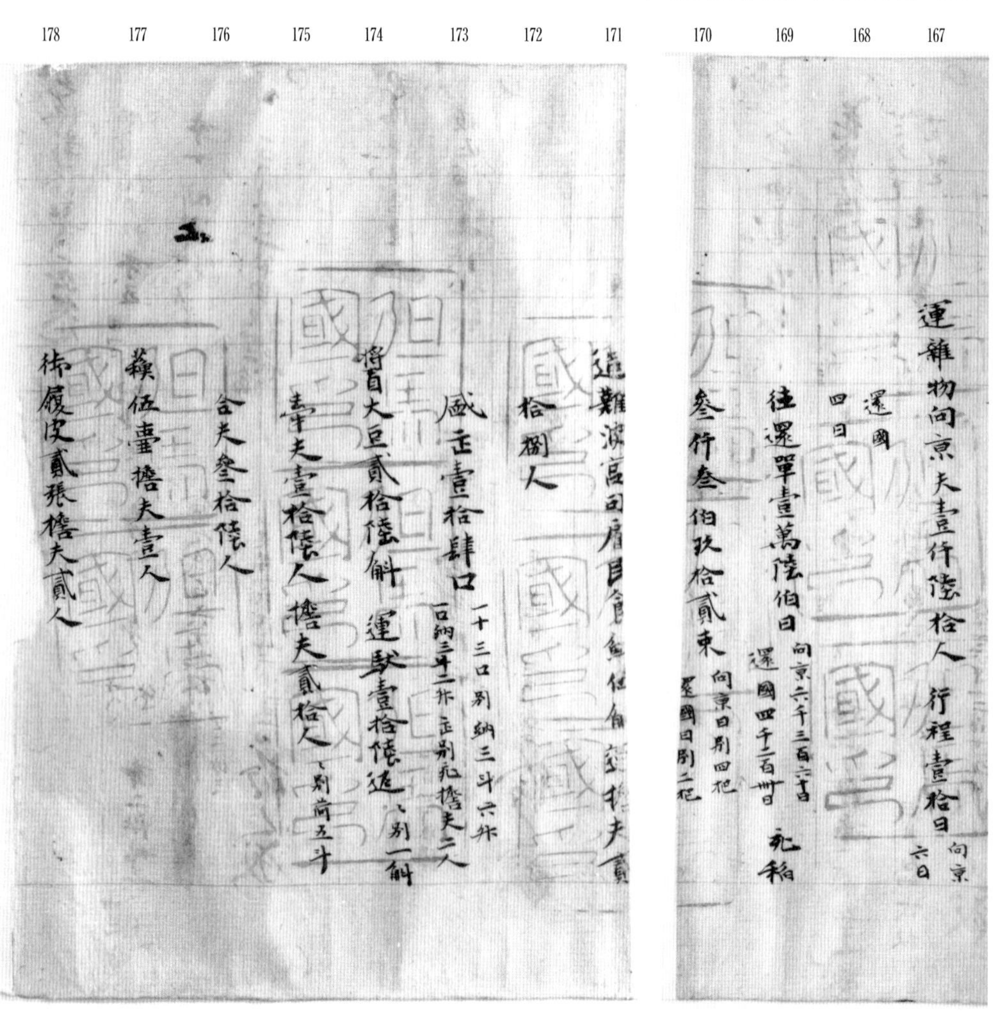

167 運雜物向京夫壹伯陸拾人　行程壹拾日 向京六日
168 還國四日
169 往還單壹萬陸伯日 向京六千三百六十日 還國四千二百卌日 充稲
170 叁仟叁伯玖拾貳束 向京日別四把 還國日別二把
171 造難波宮司雇民食塩伯斛塩擔夫貳
172 拾捌人
173 鹹正壹拾肆口 一十三口別納三斗六升 一口納三斗二升 正別充擔夫二人
174 醤大豆貳拾陸斛　運馱壹拾陸匹 匹別一斛
175 牽夫壹拾陸人　擔夫貳拾人 人別荷五斗
176 合夫叁拾陸人
177 蘇伍壺　擔夫壹人
178 布履皮貳張擔夫貳人

G/正29(14)

16 隠岐国郡稲帳　天平二年度

[illegible]
遺玖拾肆束肆把壹分
合定稲穀参伯陸拾貳斛陸斗伍升伍合
穎稲壹仟肆伯伍束肆把壹分
古酒貳腹　頁九斛五斗五升七合　雑用四斛二斗七升四合
遺貳腹　頁五斛二斗八升三合　受二斗八升三合一口　受五斛一口
倉参間　穀倉一間　空倉一間　穎倉一間
郡司　少領外従八位上勲十二等海部直大伴　主帳外少初位上勲十二等日下部保智萬侶
周吉郡天平元年見定稲穀玖伯壹拾捌斛参斗伍升玖合
穎稲陸仟壹拾肆束捌把壹分此中雑用漆伯玖拾参束
参把伍分
出挙壹仟伍伯参拾束　利漆伯陸拾伍束　并貳
仟貳伯玖拾伍束
遺参仟陸伯玖拾壹束肆把陸分
合定稲穀玖伯壹拾捌斛参斗伍升玖合
穎稲伍仟玖伯捌拾陸束肆把陸分
古酒貳腹　頁五斛九斗六升四合　雑用四斛八斗八升二合
遺壹腹　頁一斛八斗八升二合

17 隠岐国正税帳　天平四年度

隠伎國司解　申収納天平四年正税事

合四郡天平三年正税穀斛振量定貳萬伍仟陸伯貳拾

伍斛柒斗貳升　振入二千三百廿九斛六斗

一升　斛別入一升

定貳萬參仟貳伯玖拾陸斛壹斗壹升

不動壹萬玖仟陸伯參拾肆斛捌斗

陸升

動用參仟陸伯陸拾壹斛貳

斗伍升

粟貳伯壹拾斛伍斗柒升

頴稲玖仟捌伯肆拾肆束捌把

糒參伯陸拾貳斛捌升

醤捌斛伍斗

末醤貳斛

出擧頴稲貳仟壹伯壹拾貳束　債稲身死伯姓廿六人　免稲一百卌九束

出擧穎稲貳仟壹伯壹拾貳束　免稲一百卌九束
定本壹仟玖伯陸拾參束　利九百八十一束五把
合納貳仟玖伯肆拾肆束伍把
當年租穀漆伯陸拾斛伍斗
都合穀振量之穀貳萬陸仟壹伯玖拾壹斛貳斗貳升
振入二千三百八十一斛
二升斛別入一升
定貳萬參仟捌伯壹拾斛貳斗　不動一萬九千六百卌四斛八斗六升

穎稲壹萬參伯壹拾貳束玖把
糒參伯陸拾貳斛捌升
醬捌斛伍升甗瓱壹拾參口　四各受一斛　九各受五斗
末醬貳斛甗瓱肆口　ヽ別受五斗
都合正倉伍拾伍間　破壊一間
定伍拾肆間
不動穀倉一十五間　動用穀倉四間　穎倉六間
郡稲倉一十間　公用稲倉六間　義倉三間
糒倉五間
空五間
鎰貳拾勾　不動鎰四勾　留國　常鎰一十六勾　正倉印壹枚

31 智夫郡天平三年正税穀欠振量定肆仟玖伯伍拾漆斛

32 粟参拾漆斛陸斗貳升

33 頴稲壹仟陸伯伍拾束

34 糒漆拾陸斛貳斗伍升捌合

35 醤貳斛

36 末醤壹斛

37 雑用肆伯捌拾肆束肆把　穀卅一斛八斗　頴六束四把

38 賑給高年及鰥寡惸独自存不能之徒肆拾漆

39 人穀肆拾壹斛捌斗　其振所入四斛一斗八升　逐納本倉

40 神社造用頴陸拾陸束肆把

41 出挙頴稲貳伯捌拾貳束　債稲身死伯姓四人　免稲一十八束

42 定納本貳伯陸拾肆束　利一百卅二束

43 合納参伯玖拾陸束

44 当年租穀壹伯捌拾陸斛

45 都合穀欠振量定穀伍仟壹伯壹斛伍斗陸升壹合

46 肆夕陸撮　振入四百六十三斛七斗七升八合三夕

定肆仟陸伯参拾柒斛柒斗捌升参

合壹夕陸撮

不動二千五百十斛九斗五升四合二夕
動用一千一百廿六斛八斗二升八合九夕六撮

粟参拾柒斛陸斗貳升

穎稲壹仟陸伯玖拾柒束陸把

糒柒拾陸斛貳斗伍升捌合

醤貳斛臧胝肆口　　別受五斗

未醤壹斛臧胝貳口　　別受五斗

郡合正倉壹拾貳間　不動穀倉三間　動用穀倉一間
穎倉二間　郡稲倉二間

公用稲倉二間
糒倉二間

郡司　大領外正六位上勲十二等海部諸石
主帳外大初位上勲十二等服部在馬

海部郡天平三年正税穀數振量定柒仟参伯陸拾伍斛壹斗

柒升柒夕壹撮　振入六百六十九斛五斗六升九夕七撮

定陸仟陸伯玖拾伍斛陸斗玖合柒夕肆撮

不動伍仟玖伯貳拾肆斛貳斗玖升壹合伍夕伍撮

動用柒伯柒拾壹斛参斗壹升捌合壹夕玖撮

粟捌拾参斛柒斗

穎稲貳仟捌伯参拾肆束参把

64 穎稲貳仟捌伯叁拾肆束叁把
65 粭壹伯叁斛叁升陸合
66 醤貳斛伍斗
67 雑用穀柒拾斛玖斗　賑給高年及鰥寡惸独自存不能之徒一百人其振所入七斛九升返納本倉
68 [illegible]負稲壹伯壹拾束　債稲身死伯姓一十人
69 都合正倉壹拾貳間　不動穀倉五間　動用穀倉一間　穎屋一間　郡稲倉二間　公用稲倉一間　義倉一間　粭倉一間
70 郡司　少領外従八位下阿曇三雄
71 周吉郡天平三年正税穀穎振量定玖仟壹伯玖拾斛捌斗玖升貳
72 合肆夕捌撮　振入八百卅五斛五斗三升五合六夕八撮　斛別入一升
73 定捌仟叁伯伍拾伍斛叁斗伍升陸合捌夕
74 不動柒仟貳伯陸拾貳斛貳斗柒升陸合柒夕陸撮
75 動用壹仟玖拾叁斛捌升肆撮
76 粟肆拾貳斛叁斗玖升
77 穎稲叁仟壹伯束
78 粭壹伯柒斛壹斗壹升壹合
79 醤貳斛
[illegible]醤五十

80 末醬伍斗
81 雑用漆伯漆拾束　穀卌七斛二斗　頴二百九十八束　賑給高年
82 叐鰥寡惸獨自存不能之徒伍拾捌人
83 穀肆拾漆斛貳斗　振所入四斛七斗二升　返納本倉
84 神社造用頴貳伯玖拾捌束
85 出挙頴稲漆伯肆拾貳束　債稲身死伯姓五人　免稲卒八束
86 定納本稲伯捌拾肆束　利三百卌二束
87 合納壹仟貳拾陸束
88 當年租穀壹伯伍拾捌斛伍斗伍升
89 都合穀振量定穀玖仟参伯貳斛貳斗肆升貳合肆
90 夕捌撮　振入八百卌五斛六斗五升八合四夕
91 定捌仟肆伯伍拾陸斛伍斗捌升肆合捌撮
92 不動七千二百六十二斛二斗七升六合七夕六撮　動用一千一百九十四斛三斗七合三夕二撮
93 粟肆拾貳斛参斗玖升
94 頴稲参仟捌拾陸束
95 糒壹伯漆斛壹斗壹升壹合
96 醬貳斛盛甕参口　一受一斛　二各受五斗
97 末醬伍斗盛甕壹口

末醤伍斗盛瓱壹口

98 都合正倉壹拾柒間　不動穀倉五間　動用穀倉四間　穎倉一間　郡稲倉四間　公用稲倉一間　義倉一間　塩倉一間　空三間

99 郡司　大領外正八位上勲十二等大私直真継

100 役道郡　天平三年正税穀穎振量定肆仟壹伯壹拾貳斛貳斗玖升

101 外陸合参夕肆撮　振入三百七十三斛八斗　四升五合一夕二撮

102 定参仟柒伯参拾捌斛肆斗伍升壹合貳夕貳撮

103 不動貳仟玖伯参拾柒斛参斗参升柒合肆夕玖撮

104 動用捌伯壹斛壹斗壹升参合柒夕参撮

105 粟肆拾陸斛捌斗陸升

106 穎稲貳仟貳伯陸拾束伍把

107 塩柒拾伍斛陸斗柒升陸合

108 醤貳斛

109 末醤伍斗

110 雑用穀参拾伍斛壹斗　賑給高年及鰥寡惸独自存不能之徒卅四人　其振丙入三斛五斗一升外返納本倉

111 出挙穎稲肆伯柒拾捌束　免稲廿二束　債稲身死伯姓三人

112 定本肆伯伍拾陸束　利二百廿八束

113 合納陸伯捌拾肆束

114 当年租穀壹伯貳拾玖斛陸斗

115 定参仟捌伯貳拾肆斛参斗陸升参夕壹撮
116 不動二千九百廿七斛三斗三升七合四夕九撮　動用八百八十七斛二升二合八夕二撮
117 粟肆拾陸斛捌斗陸升
118 穎稲貳仟肆伯陸拾陸束伍把
119 糒漆拾伍斛陸斗漆升陸合
120 醬貳斛臧甈参口　一受一斛　二各受五斗
121 末醬伍斗臧甈壹口
122 都合正倉壹拾肆間　破壊一間　定壹拾参間　不動穀倉二間　動用穀倉一間
123 穎倉二間　郡稲倉二間　公用稲倉二間　義倉一間　糒倉一間　空二間
124 郡司　大領外従八位上大伴部大君　少領外従八位下勲十二等磯部直萬得
125 謹件収納天平四年正税并雑用之状
126 具注如件仍差史生大初位上民使古
127 麻呂充使進上謹解

18 播磨国郡稲帳　天平四年度以前

下任太宰府少監正六位上田中朝臣三上
従糸人并肆人 三日食米一斗九升五合 酒一斗二合 依痛向
京鋳銭司史生无位八戸史廣足従壹人并
貳人 三日食米一斗五合 酒五升四合 中宮職美作国主稲无
位錦部主村石勝従壹人并貳人 三日食米一斗五合
酒五升四合 上長門国鋳銭司主典従七位下大
宅首佐波従糸人并肆人 三日食米一斗九升五合 酒一斗二合
又鋳銭司民領少初位上贄土師連忠勝
従壹人并貳人 三日食米一斗五合 酒五升四合 鋳銭司民領
少初位下高安主村三事従貳人并糸人 三日食
米一斗五升 酒七升八合 鋳銭司判官従七位下薗田首八
嶋従糸人并肆人 三日食米一斗九升五合 酒一斗二合 下任備
前国介従六位下田中朝臣浄足従糸人
并肆人 三日食米一斗九升五合 酒一斗二合 下任播磨国介
正六位上田口朝臣養年冨従糸人并肆
人 三日食米一斗九升五合 酒一斗二合 下任同国大掾従六位
上民忌寸黒人従糸人并肆人 三日食米一斗九升五合 酒一斗二合
下任同国少掾従七位上大伴宿祢犬甘
三日食米一斗九升五合 [illegible]

20　多豆加　无位[illegible]

21　人　定山間五日食米一斛五升　酒五斗四升　太宰府進上紫草

22　部領　備前国上道郡主帳　大初位上新

23　田マ弓　従壹人　并貳人　四日食米一斗四升　酒七升二合　下任

24　備中国掾　従六位下　穗積朝臣老人

25　従参人　并肆人　三日食米一斗九升五合　酒一斗二合　下任備

19 周防国正税帳　天平六年度

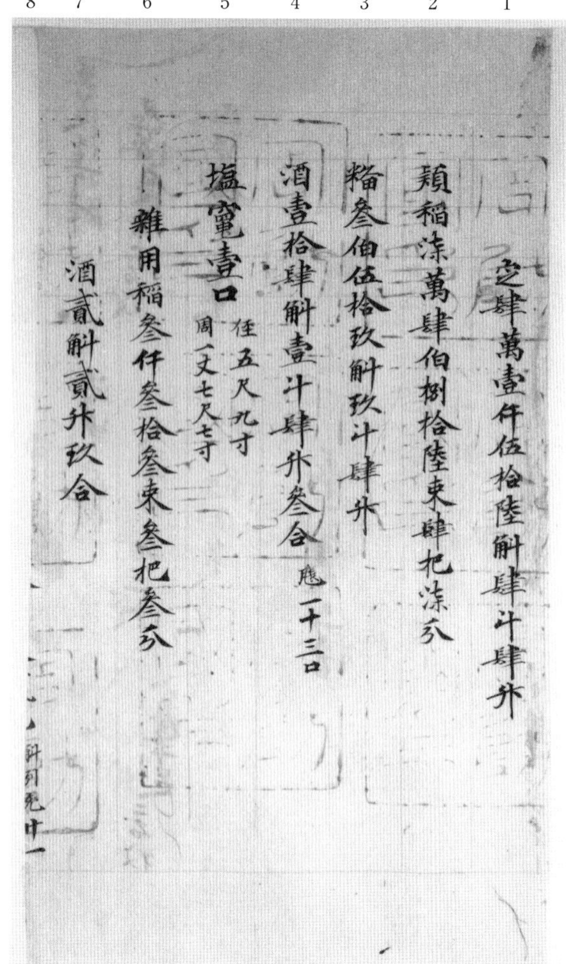

定肆萬壹仟伍拾陸斛肆斗肆升
頴稲漆萬肆伯捌拾陸束肆把漆分
糒参伯伍拾玖斛玖斗肆升
酒壹拾肆斛壹斗肆升参合　甕一十三口
塩竈壹口　径五尺九寸　周一丈七尺七寸
雑用稲参仟参拾参束参把参分
酒貳斛貳升玖合

A/正35(9)

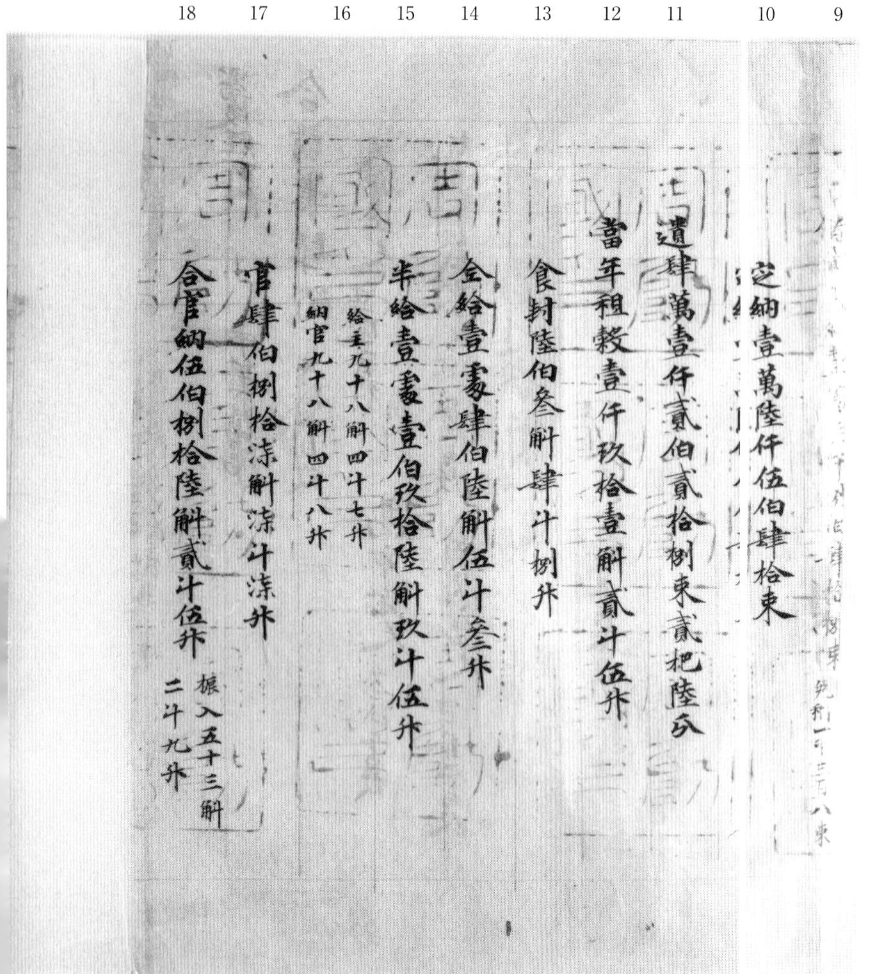

定納壹萬陸仟伍伯肆拾束
遺肆萬壹仟貳伯貳拾捌束貳把陸分
當年租穀壹仟玖拾壹斛貳斗伍升
食封陸伯参斛肆斗捌升
全給壹處肆伯陸斛伍斗参升
半給壹處壹伯玖拾陸斛玖斗伍升
給主九十八斛四斗七升　納官九十八斛四斗八升
官肆伯捌拾漆斛漆斗漆升
合官納伍伯捌拾陸斛貳斗伍升　振入五十三斛二斗九升

C/正35(6)

正35(7)

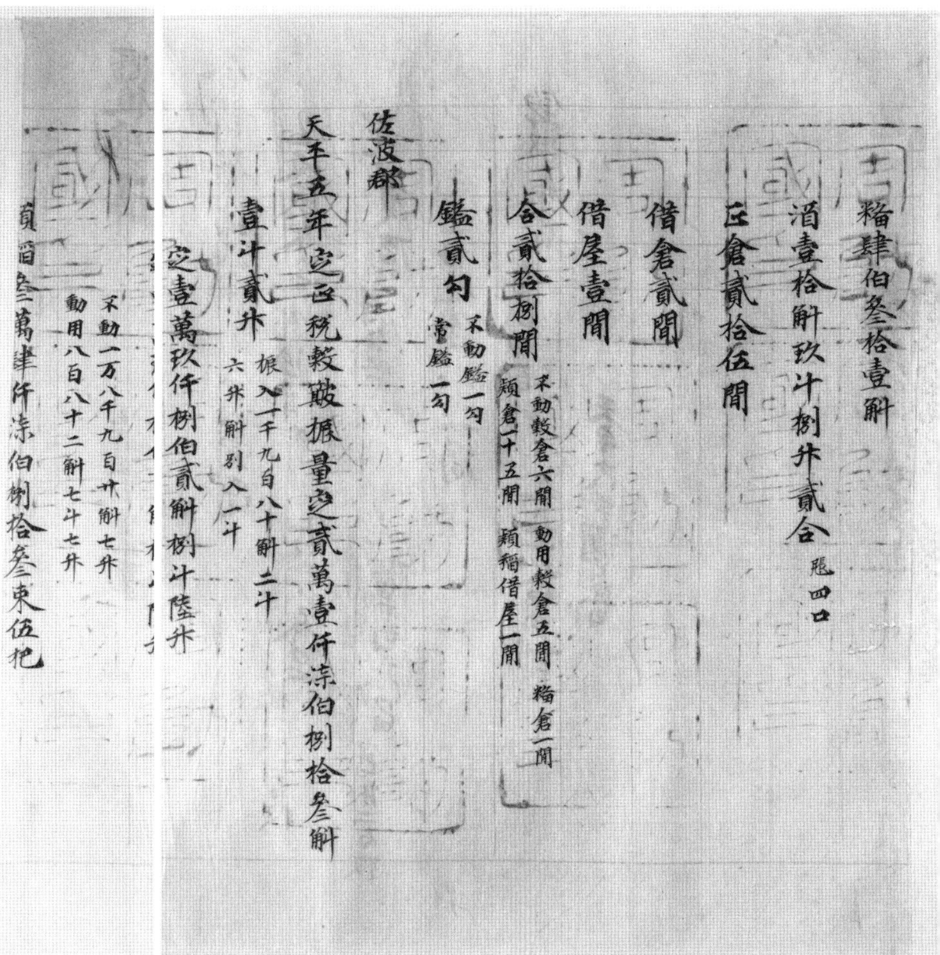

19 糒肆伯参拾壹斛
20 酒壹拾斛玖斗捌升貳合　甕四口
21 正倉貳拾伍間
22 借倉貳間
23 借屋壹間
24 合貳拾捌間　不動穀倉六間　動用穀倉五間　糒倉一間　穎倉一十五間　穎稲借屋一間
25 鎰貳勾　不動鎰一勾　壹鎰一勾
26 佐波郡
27 天平五年定正税穀穎振量定貳萬壹仟柒伯捌拾参斛
28 壹斗貳升　振入一千九百八十斛二斗　六升　斛別入一升
29 定壹萬玖仟捌伯貳斛捌斗陸升
30 不動一万八千九百廿斛七升　動用八百八十二斛七斗七升
31 穎稲参萬肆仟柒伯捌拾参束伍把

B/正35(8)

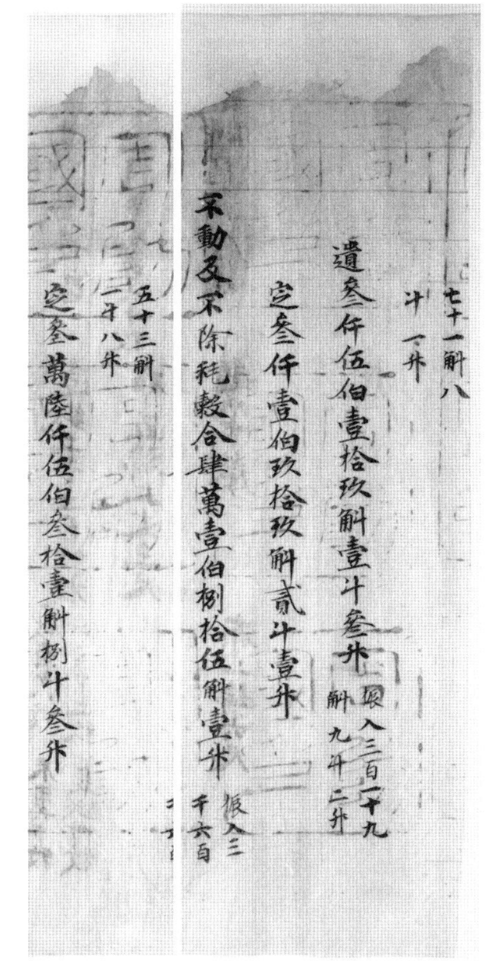

32 七十一斛八　斗一升
33 遺参仟伍伯壹拾玖斛壹斗参升　振入三百一十九　斛九斗二升
34 定参仟壹伯玖拾玖斛貳斗壹升
35 不動及不除耗穀合肆萬壹伯捌拾伍斛壹升　振入三　千六百
36 五十三斛　一斗八升
37 定参萬陸仟伍伯参拾壹斛捌斗参升

D/正35(10)

38　借貸穎稲貳萬陸仟陸伯陸拾捌束　債稲身死伯姓七十三人免稲二千三百三束

39　定納貳萬肆仟叄伯陸拾伍束

40　遺穎稲肆萬玖仟壹伯壹拾伍束叄把壹分

41　當年租穀壹仟叄伯玖斛陸斗伍升

42　食封壹處壹伯陸拾捌斛貳斗柒升　半給主八十四斛一斗四升

43　納官八十四斛一斗三升

44　官壹仟壹伯肆拾壹斛叄斗捌升

45　合官納壹仟貳伯貳拾伍斛伍斗壹升　振入一百一十一斛四斗一升

46　定壹仟壹伯壹拾肆斛壹斗

47　都合穀振量定穀肆萬肆仟玖伯貳拾玖斛陸斗伍升　振入

48　四千八十四斛五斗　一升斛別入一斗

49　定肆萬捌伯肆拾伍斛壹斗肆升

50　不動三万七千二百二斛五斗九升　動用三千□□□斗五升

51　穎稲柒萬叄仟肆伯捌拾束叄把壹分

52　糒壹仟柒伯叄拾叄斛

53　酒壹拾肆斛陸斗玖升肆合　甁八口

54　正倉叄拾叄間

55　屋壹間

56　借倉壹間

合叄拾五間　不動穀倉一十四間　動用穀倉三間　糒倉一間

63　62　61　60　59　58　57

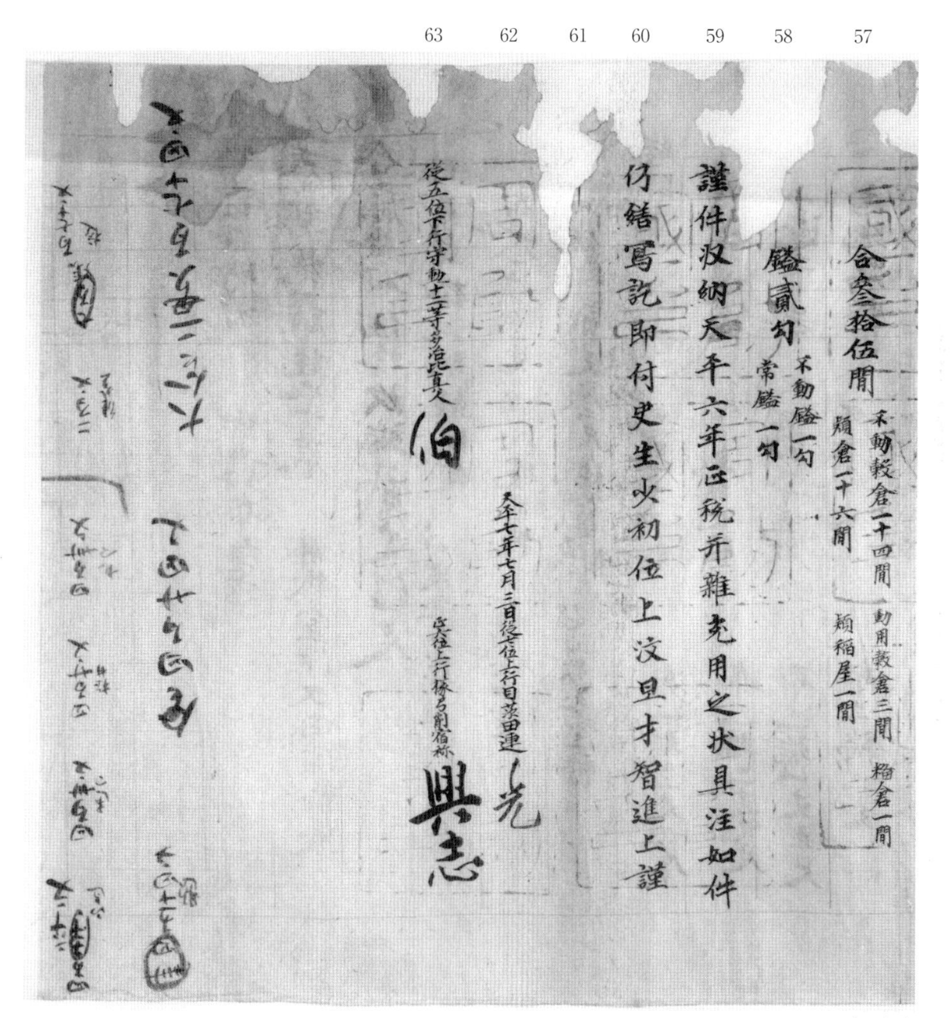

正35(11)

20 周防国正税帳　天平十年度

1 女卅九人

2 四日食稲伍拾束肆把塩伍升肆勺

3 部領使 安藝国佐伯團擬少毅榎本連音足将 從一人合二人往来八日食稲五束六把酒

4 六升四合塩 三合二勺

5 五月四日下流人 周防国佐波郡人牟乙礼君 大町三日食稲六把塩六勺

6 部領傳使 刑部少解部従六位下刻間連養徳 将従二人合三人往来六日食稲六束

7 酒六升塩 三合六勺

(175頁)

8 傳使 將従三人合四人四日食稲五

9 束二把酒四升 塩三合二勺

東方[illegible]説

10 同日下傳使 筑後国掾正七位下忍海連宮成 将従三人合四人四日食稲五束

11 二把酒四升 塩三合二勺

12 十二日下傳使 豊後国掾従六位下田邊史縣麻 呂将従三人合四人四日食稲五束

13 二把酒四升 塩三合二勺

14 十五日下船傳防人部領使 大宰史生従八位上 中臣東連益人将従一

15 人合三人四日食稲二束八把 酒三升二合塩一合六勺

16 十七日下傳使 大宰大監正六位上高橋朝臣 子嶋将従三人合四人四日食稲五

17 束二把酒四升 塩三合二勺

18 同日下船傳防人部領使 大宰少判事従七位下 鄕部連[illegible]麻呂将従

19 [illegible]錦部連道麻呂将従二人合三人四日食稲四束酒四升塩二合四勺
20 廿一日向京傳使長門國相模人三人廝一人合四人往来八日食稲十二束酒一斗九
21 升二合塩六合四勺
22 廿一日向京傳使周防國相模人三人往来六日食稲七束二把酒一斗四升四合塩三合六勺
23 廿二日下傳使壹伎嶋掾従七位下間人宿祢玉浦将従三人合四人四日食稲
24 五束二把酒四升塩三合二勺
25 廿六日下傳使大隅國左大舎人无位大隅直坂麻呂薩麻國人右大舎人无位薩
26 麻君國益将従一人合三人四日食稲四束四把酒六升四合塩二合四勺
27 七月三日下傳使豊後國目正七位下勲九等河内連入鹿将従三人合四人
28 四日食稲五束二把酒四升塩三合二勺
29 廿四日下傳使大宰故大貳従四位下小野朝臣骨送使對馬嶋史生従八位下白
30 氏子虫将従三人合四人四日食稲五束二把酒三升五合塩三合二勺
31 閏七月五日向京従大宰府進上銅竈部領
32 使筑前國掾従六位上遠部君豊足将従三人合四人往来八日食稲十束四把酒八升
33 塩六合四勺
34 十六日向京従大宰府進上法華経部領使
35 大典従六位上楢原造東人将従三人合四人四日食稲五束二把酒四升塩三合二勺
36 八月廿九日下傳使周防國史生正八位下赤染麻呂将従二人合三人三日食稲

正35(14)

54　53　52　51　50　49　48　47　46　45　44　43　42　41　40　39　38　37

……麻呂将従二人合三人三日食稲

三束酒二升四
合塩一合八勺

九月二日下船傳使大宰史生正八位下出雲臣
君麻呂将従二人合三人四日

食稲四束酒三升
二合塩二合四勺

十一日下傳使豊前国史生大初位上志比安
都将従二人合三人四日食稲四

束酒三升二合
塩二合四勺

十五日下傳使對馬嶋史生正八位上柒嶋大
石将従三人合四人四日食稲

五束二把酒三升
二合塩三合二勺

同日下傳使肥後国史生大初位上山田史方
見将従二人合三人四日食稲四

束酒三升二合
塩二合四勺

同日下傳使薩麻国史生従八位下雉山田連
綿麻呂将従三人合四人四日食

稲五束二把酒三升
二合塩三合二勺

廿三日下船傳使筑前国史生大初位上文部忌
寸千城将従二人合三人四日食

稲四束酒三升
二合塩二合四勺

十月三日下傳使壹伎嶋史生大初位上物部花伎将
従二人合三人四日食稲四束酒三升

二合塩二
合四勺

三日下傳使豊前国目従八位上秦子至将従三人合
四人四日食稲五束二把酒四升塩三合二勺

四日向京従大宰進上御鷹部領使筑後国介
従六位上

日下部宿祢古麻呂将従三人将鷹廿人合廿四人
往来八日食稲七十四束四把酒一斛三斗六升塩

（54）従廿八日食稲七十四束四把酒一斛三斗六升塩

55 三升八合四夕 御犬壹拾頭食稲捌束

56 廿六日下傳使大宰史生従八位上川邊朝臣白足 将従三人合四人四日食稲五束二把

57 酒三升二合 塩二合二夕

58 九日下傳使長門国史生大初位下勲十等阿 倍朝臣牛養将従三人合四人四日

59 食稲四束酒三升二 合塩二合四夕

60 十一日下傳使大隅国掾正六位下土師宿祢山麻呂 将従三人合四人四日食稲五束二把

61 酒四升塩 三合二夕

62 十三日下傳使薩麻國目大初位上次田赤染造上麻 呂将従三人合四人四日食稲五束二

63 把酒四升塩 三合二夕

64 同日下舩傳使筑前國史生大初位下田邊史 東人将従二人合三人四日食稲四

65 束酒三升二合 塩二合四夕

66 十四日下傳使豊後国守外従五位下小治田朝 臣諸人将従九人合十人四日食稲

67 十二束四把酒 八升塩八合

68 同日下傳使大隅國史生大初位上日置造三立 将従二人合三人四日食稲四束酒

69 三升二合塩 二合四夕

70 廿日下傳使大隅国守従七位下勲十二等大伴宿祢 国人将従三人合四人四日食稲五束

71 二把酒四升 塩三合二夕

72 廿一日向京耽羅嶋人廿一人四日食稲卅三束六把 酒六斗七升二合塩一升六合八夕

73 74 75 76 77 78 79 80 81 82 83 84 85 86 87 88 89 90

酒六斗七升二合塩一升六合八夕
部領使長門國豊浦郡擬大領正八位下額田部直廣麻呂将従一人合二人往
来八日食稲五束六把
酒八升塩三合二夕
同日下船傳使大宰史生大初位下檜前舎人連馬養将従二人合三人四日食
稲四束酒三升二
合塩二合四夕
廿三日下傳使筑前國掾従六位下都保臣古良比将従三人合四人四日食稲五束二把
酒四升塩
三合二夕
十二月三日従大宰府向京傳使僧法義童子三人合四人四日食稲五
束二把酒四升
塩三合二夕
十五日下傳使大宰少典従七位上朝明史老人将従三人合四人四日食稲五束二把酒四
升塩三
合二夕
十九日向京大宰故大貳正四位下紀朝臣骨送
使音博士大初位上山背連靺鞨将従十九人合
廿人四日食稲廿四束四把酒四升塩一升六合
十二月一日下傳使筑紫國師僧尊泰従僧二人沙弥二人童子三人合八人四日食稲十一
束六把酒二斗
塩六合四夕
廿日向京従大宰府捉進上舊防人二人四日食稲一束六把塩一合六夕
部領使長門國豊浦團五十長凡海部我妹往来八日食稲三束二把酒六升四合
塩一合
六夕
國司巡行壹拾參度守四度掾九度目十度史生十二度将従陸拾貳人

91 合玖拾柒人單壹仟玖伯柒拾壹人 目已上四

92 百五十人史生二百七十人 将従一千二百五十一人

93 食稲陸伯陸拾參束參把酒陸斛陸斗

94 陸升塩參斗玖升肆合貳夕直稲陸束伍

95 把壹分 以人一束充六升

96 食法 史生已上人別日稲四把将従人別日稲三把 目已上人別日酒一升史生日酒八合将従已上

97 人別日 塩二夕

98 撿催産業國司壹度 掾一人 史生一人 将従參人合伍人廿日

99 單壹伯人 掾廿人史生廿人 将従六十人 食稲參拾肆束

100 酒參斗陸升塩貳升

101 依恩勅賑給穀國司壹度 掾一人 史生一人 将従參人合

102 伍人十七日單捌拾伍人 掾十七人 史生十七人 将従伍拾壹

103 人食稲貳拾捌束玖把酒參斗陸合塩壹

104 升柒合

105 従造神宮驛使國司壹度 掾一人目一人 史生一人 将従伍人

106 合捌人廿五日單貳伯人 目已上五十人史生廿五 人将従一百廿五人

107 食稲陸拾柒束伍把酒柒斗塩肆升

108 春夏二時借貸并出擧雜官稲國司貳度 掾一人

正35(17)

春夏二時借貸并出擧雜官稲國司貳度一人

109 目一人史生一人 将従伍人合捌人卅二日單參伯參

110 拾陸人 目已上八十四人史生卅 二人将従二百一十人 食稲壹伯壹拾

111 參束肆把酒壹斛壹斗柒升陸合塩陸

112 升柒合貳勺

113 責手實國司壹度 掾一人目一人 史生二人 将従陸人合壹

114 拾人廿日單貳伯人 目已上卅人史生 卅人将従一百廿人 食稲陸

115 拾捌束酒柒斗貳升塩肆升

116 賑給義倉國司壹度 掾一人 目一人 将従肆人合陸人

117 六日單參拾陸人 目已上十二人 将従廿四人 食稲壹拾貳

118 束酒壹斗貳升塩柒合貳勺

119 撿田得不國司壹度 掾一人 史生一人 将従參人合伍人廿

120 七日單壹伯參拾伍人 掾廿七人史生廿 七人将従八十一人 食稲

121 肆拾伍束玖把酒肆斗捌升陸合塩貳升

122 柒合

123 撿牧馬牛國司壹度 掾一人 目一人 将従肆人合陸人十

124 二日單柒拾貳人 目已上廿四人 将従卌八人 食稲貳拾肆

125 束酒貳斗肆升塩壹升肆合肆勺

撿驛傳馬等國司壹度 掾一人 将従肆人合陸

126 撿驛傳馬等國司壹度 掾一人 目一人 將從肆人合陸
127 人七日單肆拾貳人 目已上十四人 將從廿八人 食稲壹拾
128 肆束酒壹斗肆升鹽捌合肆勺
129 徴調庸國司壹度 守一人目一人 史生二人 將從柒人合壹
130 拾壹人十八日單壹伯玖拾捌人 目已上卅六人史生卅六
131 人將從一百 廿六人 食稲陸拾陸束陸把酒陸斗肆
132 升捌合鹽參升玖合陸勺
133 推問消息國司壹度 守一人目一人 史生一人 將從陸人合
134 玖人十五日單壹伯參拾伍人 目已上卅人史 生十五人將從
135 九十人 食稲肆拾伍束酒肆斗貳升鹽貳升柒合
136 從巡察驛使國司壹度 守一人目一人 史生一人 將從陸人合
137 玖人十六日單壹伯肆拾肆人 目已上卅二人史 生十六人將從
138 九十六人 食稲肆拾捌束酒肆斗肆升捌合
139 鹽貳升捌合捌勺
140 収納官稲國司壹度 守一人目一人 史生一人 將從陸人合玖
141 人卅二日單貳伯捌拾捌人 目已上六十四人史 生卅二人將從一百
142 九十二人 食稲玖拾陸束酒捌斗玖升陸合
143 鹽伍升柒合陸勺

依天平十年正月十三日　恩勅賑給高年及鰥寡
惸獨疾疢不能自存者之徒合参仟貳
伯柒拾貳人穀捌伯参拾柒斛　九十歳一人二斛　八十歳
廿七人別一斛　鰥十六人別六斗　鰥廿六人　寡卌三人合
六十九人別五斗　鰥六十九人　寡二百三人　獨廿一
人　惸一百二人合三百九十五人別四斗　寡二百九人
惸一百九十一人　獨三百九人　病者一百卌七人合八
百卌六人別三斗　惸一百廿人　獨一百一十四人　病者八
百廿八人　窮乏五百卌一人合一千六百三人別二斗
窮乏三百一十
五人別一斗
改造神社料用穎稲肆伯壹拾肆束柒把伍分
役單功肆伯伍拾貳人　傭稲貳伯貳拾陸束
人別日五把
食稲壹伯捌拾束捌把　人別日四把
塩玖升肆合　人別日二合　價稲壹束伍把　以一束買六升
釘肆拾貳隻　各長五寸重五両　料鐵壹拾参斤拾肆両
小所得十三斤一両　所損十三両　價稲参束肆把伍分　以一束買四斤
赤土貳升價稲参束　以一束五把買一升
右依太政官去天平九年十一月廿八日符充用如件
朝集雜掌貳人　起十一月一日迄十二月卅日起正月一日迄二月十六日合一百四箇日　單貳
伯捌人食稲陸拾貳束肆把　人別日三把
起九月二日迄十二月卅日

162 新任史生正八位下赤染麻呂 起九月二日迄十二月卅日

163 食稲玖拾参束陸把 日別八把 合一百十七箇日

164 造藥肆升 小 納壹肆口 並小 乳牛陸頭 取乳 廿日 飼稲

165 肆拾捌束 牛別日 四把

166 交易御履料牛皮貳領價稲壹伯柒拾束 一領 九十

167 束一領 八十束

168 交易鹿皮壹拾伍張價稲陸拾壹束 五張別五 束七張別

169 四束二張別 三束一張二束

170 馳羅方脯肆具價稲陸拾束 具別十 五束

171 市替傳馬壹拾壹疋 並上 價稲貳仟柒伯伍拾

172 束 馬別二 百五十束

173 向京防人参般供給穎稲壹仟捌伯陸拾柒束

174 塩肆斗 直稲陸束陸把 充六升

175 右依部領使大宰府少判事従七位下鍬部

176 連意麻呂去天平十年四月十九日牒供

177 給如件

178 中般防人玖伯伍拾参人 二日半料穎稲玖伯

肆拾壹束

C/正36(3)

179 陸拾壹束
180 食料玖伯伍拾參束 人別日 四把
181 塩肆斗柒升陸合伍勺 人別日 二勺 直稲捌束
182 右依部領使正六位下上道臣千代去
183 天平十年五月八日牒供給如件
184 後般防人壹伯貳拾肆人二箇日料穎稲
185 壹伯束
186 食料玖拾玖束貳把 人別日 四把
187 塩肆升玖合陸勺 人別日 二勺 直稲捌把
188 右依部領使大宰史生従八位下小長
189 谷連常人去天平十年六月十二日牒
190 供給如件
191 造年料兵器伍種 挂甲二領 大刀五口 弓廿張 矢廿具 胡禄廿具 料用穎稲參伯
192 陸束壹把貳分
193 用度物
194 鐵肆伯肆拾斤 熟 積二百廿斤〻 別八両 得二百廿斤 價稲壹伯參拾
195 貳束 以三束 充十斤
196 絲壹斤拾貳兩參分肆銖價稲伍拾捌束 以三束 充一両
197 綿貳乇價稲壹拾貳束 以六束 充一乇
198 絁陸尺價稲陸束 以一束 充一尺

199 布貳丈捌尺價稲貳拾束 一束布一尺四寸
200 漆壹升伍合伍夕價稲肆拾陸束伍把 以卅束充一升
201 苧壹拾伍両價稲伍束陸把貳分 以二両二分四銖充一束
202 洗革料鹿皮伍張 一張長四尺三寸廣二尺一寸二張各長四尺二寸廣一尺八寸一張長四尺二寸
203 廣一尺八寸一張長四尺一寸廣一尺六寸 價稲貳拾壹束 一張五束四張各四束
204 大刀鞘料馬皮壹張 長三尺廣二尺五寸 價稲伍束
205 傳料釀酒穎稲貳伯壹拾束
206 奉叅所神社穎稲捌拾束 以神命令奉
207 熊毛神社肆拾束 祭春月酒稲料
208 出雲神社貳拾束 祭春月料十束秋月料十束
209 御坂神社貳拾束 祭春月料十束秋月料十束
210 賑給高年之徒穀振所入返納本倉捌拾参斛漆
211 斗 振入七斛五斗九升 定漆拾陸斛壹斗壹升
212 借貸穎稲貳拾参萬壹仟玖伯参拾陸束
213 債稲身死伯姓参伯漆拾捌人 男二百一十二人女一百六十六人 免稲
214 捌仟漆伯捌拾玖束
215 定貳拾貳萬参仟壹伯肆拾漆束
216 雜用壹仟漆拾伍束
217 遺貳拾貳萬貳仟漆拾貳束
218 給造天平八年雜公文書生等食返納稲肆拾捌束陸把
219 傳馬死皮伍張價稲伍拾束 張別十束
下用馬壹疋 一疋天平三年買歯七歳傳八歳左前足之字旦

220 221 222 223 224 225 226 227 228 229 230 231 232 233 234 235 236 237 238 239

不用馬陸疋 一疋天平三年買歯七歳傅八歳左前足之宇呈
一疋天平五年買歯六歳傅五歳左後足多利
一疋天平四年買歯七歳傅八歳右前足之宇呈一疋天
平六年買歯四歳傅五歳左前足之宇呈一疋天平六年
買歯五歳傅五
歳右前足之宇呈　價稲參伯束 馬別五十束
合新稲貳拾貳萬貳仟肆伯漆拾束陸把
遺古稲壹伯漆拾貳萬肆仟壹伯壹拾壹束漆
把玖分
穀壹拾漆萬貳仟貳伯捌拾斛陸斗肆升 振入
一万五千六百
斛一斛八斗四升
定壹拾伍萬陸仟陸伯壹拾捌斛捌斗
穎稲壹仟參伯伍束參把玖分
遺古酒貳拾玖斛伍斗漆升肆合
新酒壹拾貳斛
田租穀伍仟壹拾捌斛漆斗伍合
神戸租穀參拾玖斛貳斗捌升
封戸租穀玖伯貳拾斛玖斗陸升伍合
全給貳所租穀伍伯玖斛捌斗伍升伍合
半給參所租穀肆伯壹拾壹斛壹斗壹升
給主二百五斛五斗五升五合
納官二百五斛五斗五升五合
官租穀肆仟伍拾捌斛肆斗陸升
割寄故左大臣藤原家封穀壹伯漆拾壹斛
半給主八十五斛八斗七升五合

240　漆斗伍升　半拾主八十五斛八斗七升五合　納官八十五斛八斗七升五合

241　右依民部省天平十年十一月十四日符割充如件

242　定官参仟捌伯捌拾陸斛漆斗壹升

243　合官納租穀肆仟壹伯漆拾捌斛壹斗肆升　粮入二百

244　七十九斛　八斗一升

245　定参仟漆伯玖拾捌斛参斗参升

246　都合今年定正税壹伯玖拾捌萬玖仟貳伯束

247　漆把玖分

248　穀振量定穀壹拾漆萬陸仟伍伯肆拾貳斛肆斗

249　捌升　粮入一万六千卅九斛　二斗四升斛別入一斗

250　秦姓筆墨　定壹拾陸萬肆伯玖拾参斛貳斗肆升　不動一十二万七千七百六十四斛六斗九升

251　鬼室小東人墨　動用三万二千七百廿八斛五斗五升

252　余女筆　頴稲貳拾貳萬参仟漆伯漆拾伍束玖把玖分

253　糒参仟陸伯陸拾捌斛捌斗玖升

254　酒肆拾壹斛伍斗漆升肆合　甕卅五口

255　塩壹伯漆拾参斛玖斗壹升

256　塩竈壹口　径五尺九寸　周丈七尺七寸

257　正倉壹伯肆拾漆間新造貳間合壹伯肆拾玖間

258　屋壹合間

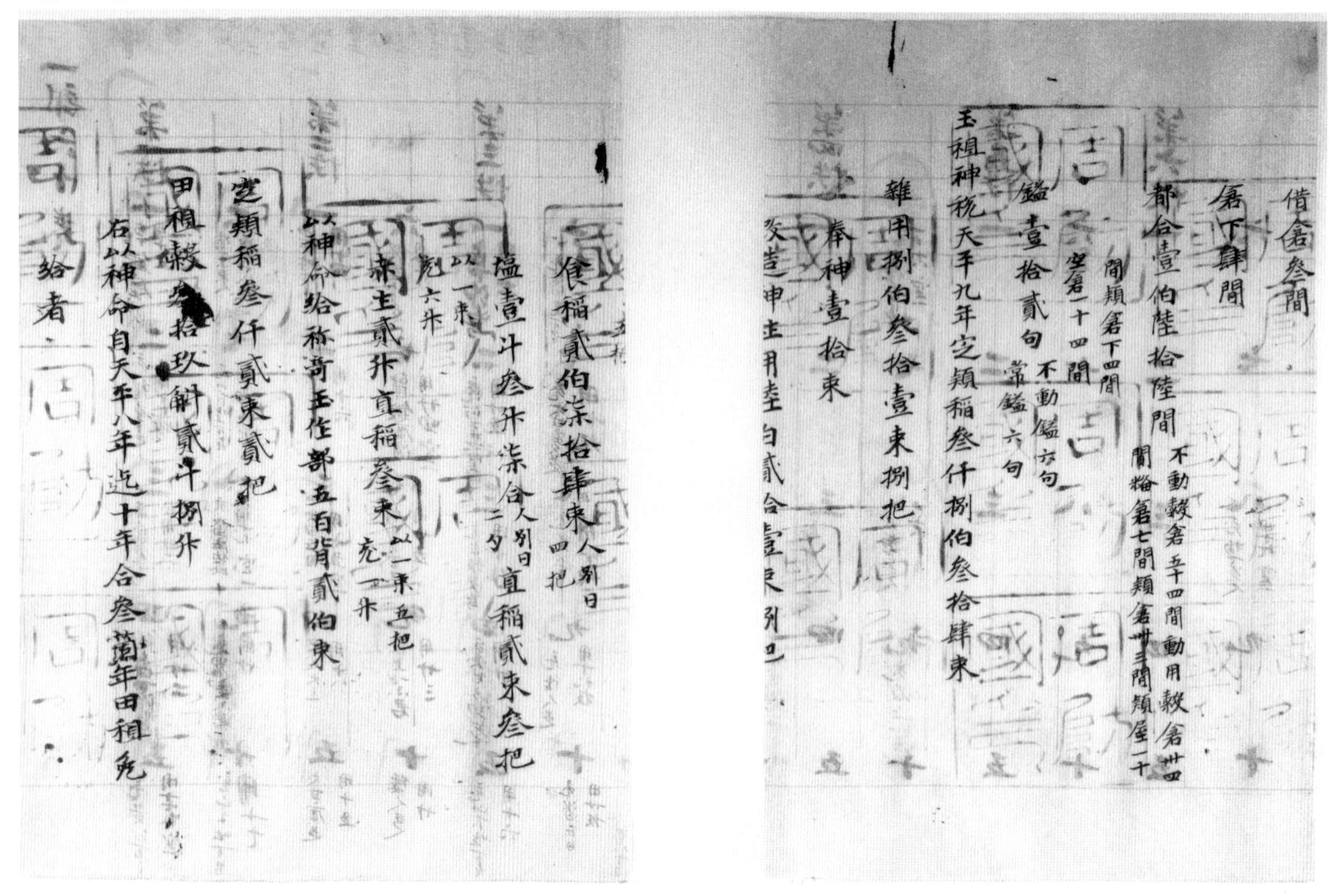

259 借倉参間
260 倉下肆間
261 都合壹伯陸拾陸間 不動穀倉五十四間 動用穀倉卅四
262 間糒倉七間 頴倉卅三間 頴屋一十 間 頴倉下四間 空倉一十四間
263 鎰壹拾貳句 不動鎰六句 常鎰六句
264 玉祖神税天平九年定頴稲参仟捌伯参拾肆束
265 雑用捌伯参拾壹束捌把
266 奉神壹拾束
267 交易神主用塩白貳合壹束 別日
268
269 食稲貳伯柒拾肆束 人別日四把
270 塩壹斗参升柒合 人別日二夕 直稲貳束参把
271 以一束充六升
272 神主貳升直稲参束 以一束五把充一升
273 以神命給称奇玉作部五百背貳伯束
274 定頴稲参仟貳束貳把
275 田租穀参拾玖斛貳斗捌升
276 右以神命自天平八年迄十年合参箇年田租免
277 給者

E/正36(8)　D/正36(7)

8

281　280　279　278

透過光写真　正集　巻三十五　第13紙

21 長門国正税帳　天平九年度

合伍郡天平八年定正税穀貳萬柒佰肆斛
伍升貳合　振入一万九百七十三斛九升五合
定壹拾萬玖仟柒佰叁拾斛玖斗伍升
柒合
不動伍萬伍仟伍佰捌拾伍斛伍斗肆
升柒合
動伍萬肆仟壹佰肆拾捌斛肆斗
壹升
穎稲壹拾肆萬伍仟柒佰貳拾玖束捌把肆分
穀底敷稲壹仟玖佰肆拾貳束
全稲壹拾肆萬叁仟柒佰捌拾柒束捌把
肆分
糒叁仟壹佰捌拾陸斛叁斗玖合陸夕
酒壹佰叁拾肆斛貳升壹合伍夕
大税不動酒壹佰貳拾斛柒斗捌升肆合伍夕
動用酒壹拾叁斛貳斗叁升柒合
酢肆斛玖斗伍升肆合伍夕
醤伍斛壹斗壹升壹合伍夕

醤伍斛壹斗壹升壹合伍夕
煎塩鑊釜壹口
雑用參萬肆仟伍佰漆拾參束貳把伍分
穀二千九百廿四斛七斗
穎五千三百廿六束二把五分
塩壹斛貳升肆夕　直稲參拾肆束壹分
酒壹拾壹斛伍斗捌升捌合
依民部省天平九年十月五日符充雑色
穎合壹萬玖拾壹束壹把伍分
買神戸調料伍仟捌佰伍拾壹束
租料肆仟貳佰肆拾壹束壹把伍分
全稲為穀玖仟肆佰肆拾參束肆把
得穀玖佰肆拾肆斛參斗肆升
束別得一斗
賑給高年并疫病徒穀根所入返納本倉
貳佰玖拾貳斛肆斗漆升
合得穀壹仟貳佰參拾陸斛捌斗壹升
振入一百十二斛四斗
三升七合
定壹仟壹佰貳拾肆斛參斗漆升參合
借倉捌萬壹仟參佰參束

借貸穎萬壹仟參伯參束

穀壹仟伍伯壹拾參斛玖斗　債身死伯姓二百十四人免穀

一百九十九斛五斗

未納參五百九十一斛五斗五升

定納柒伯貳拾貳斛捌斗伍升

穎陸萬陸仟壹伯陸拾肆束　債身死伯姓五百八十九人

免稲九千二百卌六束

未納九千二百卅八束二把

定納肆萬柒仟陸伯肆拾玖束捌把

為穀収納貳伯陸拾玖斛

穎収納肆萬肆仟玖伯伍拾玖

束捌把

賑給并借貸下遺穀壹拾萬伍仟貳伯

玖拾貳斛參斗伍升柒合

不動伍萬伍仟伍伯捌拾伍斛伍斗肆升柒合

動肆萬玖仟柒伯陸斛捌斗[illegible]升

震震震

動動不動

合五斛六斗三合

定壹拾萬柒仟肆伯伍拾陸斛參升玖合

不動伍萬伍仟伍伯捌拾伍斛伍斗肆升玖合

動五萬壹千[illegible]

52 動伍萬壹仟捌伯漆拾斛肆斗玖升

53 穎玖萬玖仟捌伯伍拾壹束伍把

54 穀底穀稲壹仟玖伯肆拾貳束

55 天平七年検税使定様古穎貳仟漆伯

56 伍拾貳束壹把

57 全稲玖萬伍仟壹伯伍拾漆束肆把

58 糒叁仟壹伯捌拾陸斛叁斗玖合陸夕

59 糒伍斛壹斗壹升壹合伍夕

60 煎塩鐵釜壹口 径五尺八寸厚五 深一寸

61 所盗不動穀天平二年下量欠穀叁伯

62 叁拾捌斛貳斗捌升

63 天平七年検税使検挍腐穀壹拾壹

64 斛伍斗貳升伍合 不動穀四斛五斗二升 五合動穀七斛

65 正倉壹伯捌拾漆間 破壊五間 遺壹伯捌拾貳間

66 今造新倉貳間 凡倉

67 合定正倉壹伯捌拾肆間

68 借倉貳拾間

85　84　83　82　81　80　79　78　77　76　75　74　73　72　71　70　69

借倉貳拾間

借屋捌間 ヒ五間　遺參間

都合定貳伯漆間 不動穀倉卅一間 動用穀倉五十八間 糒倉八間 穎倉卅九間 空倉卅一間

鎰伍勾 印一面

右所以不進不動倉鎰者依今年

國裏疫病不得加不動穀仍

不進上件鎰如前

神税

合伍郡天平八年定稲穀貳仟肆佰參拾斛

肆斗捌合 振入二百廿斛九斗一升三合

定貳仟貳伯玖斛壹斗參升伍合

穎稲漆仟陸伯捌束壹把捌分

加田租料穎肆仟貳伯肆拾束壹把陸分 供神二千百束分

遺貳仟壹伯貳拾束捌分

右依民部省天平九年有音符割取大税加入如件

合定穀貳仟肆伯參拾斛肆升捌合 振入二百廿斛九斗一升三合

定貳仟貳伯玖斛壹斗參升伍合

穎稲玖仟漆伯貳拾捌束貳把陸分

86 穎稲玖仟漆佰貳拾肆束貳把陸分

87 雑用陸束供祀幣稲

88 遺玖仟漆佰貳拾貳束貳把陸分

89 合倉壹拾伍間　穀倉五間　穎倉八間　空倉二間　鎰壹勾

90 豊浦郡

91 天平八年定正税穀参萬参仟漆拾捌斛玖斗伍升漆合　糒入三千七斛一斗七升七合

92 定参萬漆拾壹斛漆斗捌升

93 不動壹萬陸仟陸拾伍斛陸斗肆升

94 動壹萬肆仟陸斛壹斗肆升

95 穎稲貳萬玖仟玖佰壹拾伍束伍把参分

96 穀底敷稲漆佰漆拾参束

97 全稲貳萬玖仟壹佰肆拾貳束伍把参分

98 糯壹仟壹佰肆拾捌斛肆斗貳升

99 酒壹佰壹斛伍斗貳升漆合

100 大税不動酒玖拾捌斛壹斗伍升伍升漆合

101 動用酒参斛参斗漆升

102 酢肆斛玖斗伍升肆合伍夕

醋肆斛[illegible]

煎塩鐵釜壹口

雑用壹萬壹伯陸拾捌束玖把参分 穀八百五

十五斛二斗 穎一千六百

一千六束九把三分

塩参斗参升貳合捌夕 直稲壹拾壹束玖分

酒貳斛捌斗陸升玖合

還住厚狭郡貳伯肆拾束

依民部省去天平九年十月五日符充

神戸穎貳仟貳伯肆拾玖束貳把伍分

買調綿料壹仟玖拾捌束 以綿一屯充稲七束

田租壹仟壹伯伍拾壹束貳把伍分

全稲為穀壹仟肆伯伍拾玖束 ミ別得一斗

得穀壹伯肆拾伍斛玖斗

賑給高年并疾病伯姓穀振所入返納奉

倉捌拾伍斛伍斗貳升

合得穀貳伯参拾壹斛肆斗貳升 振入卅一

斛三升

八合

定貳伯壹拾斛参斗捌升貳合

120 定貳佰壹拾斛參斗捌升貳合

121 借貸壹萬捌仟束

122 穀陸佰參拾參斛捌斗　債穀身死伯姓 六十三人免穀五 十九斛五斗未納三百 九十七斛三斗七升

123 定納壹佰柒拾陸斛玖斗參升

124 定稲壹千壹百壹拾貳束　債稲身死 百姓

22 紀伊国大税帳　天平二年度

1 紀伊國司解　申天平二年收納大税幷神税事
2 合七郡天平元年定大税稲穀肆萬伍仟貳伯捌拾漆斛貳斗叁升伍合
3 不動貳萬伍仟貳拾壹斛玖斗玖升漆合捌夕
4 動貳萬貳伯陸拾伍斛貳斗叁升漆合貳夕
5 粟穀叁拾斛伍升
6 頴稲漆萬捌仟壹伯肆拾捌束壹把陸分
7 爲穀古頴漆仟玖伯伍拾束
8 得穀漆伯玖拾伍斛
9 振斛量入漆拾貳斛貳斗漆升貳合陸夕
10 定漆伯貳拾貳斛漆斗貳升漆合肆夕
11 出擧壹萬陸仟壹伯捌拾束
12 身死壹伯叁人　免税叁仟壹拾陸束
13 定納本壹萬叁仟壹伯陸拾肆束
14 利陸仟伍伯捌拾貳束
15 古頴伍萬肆仟壹拾捌束壹把陸分

古穀伍萬肆仟壹拾捌束壹把陸分

16 合漆萬叁仟漆伯陸拾肆束壹把陸分

17 雑用捌仟陸拾束

18 年料白米叁伯漆拾壹斛肆斗 料漆仟肆伯貳拾捌束

19 酒米貳拾捌斛陸斗 料伍伯漆拾貳束

20 年料外交易進上小麦陸斛 直陸拾束 一斛別十束

21 遺陸萬伍仟漆伯肆束壹把陸分

22 輸田租稲穀肆仟肆拾斛玖斗玖升漆合

23 全給貳所封主貳伯叁拾壹斛叁斗貳升壹合

24 貳所之壹主給玖拾玖斛壹斗伍合伍夕

25 納官玖拾玖斛壹斗伍合伍夕

26 納公叁仟漆伯壹拾斛伍斗漆升伍夕

27 振斛量入叁伯叁拾漆斛叁斗貳升肆合貳夕

28 定叁仟叁伯漆拾叁斛貳斗肆升陸合叁夕

29 依民部省天平二年八月廿八日符加添軽税銭直稲叁仟

30 漆伯貳拾肆束漆把

31 都合見定稲穀肆萬玖仟叁伯捌拾叁斛貳斗捌合漆夕

不動貳萬伍仟貳拾壹斛玖斗玖升漆合捌夕

32 不動貳萬伍仟貳拾壹斛玖斗玖升柒合捌夕

33 動貳萬肆仟參伯陸拾壹斛貳斗壹升玖夕

34 粟穀參拾斛伍升

35 頴稲陸萬玖仟肆伯貳拾捌束捌把陸分

36 酒伍斛陸斗　清四斛　濁一斛六斗

37 正倉玖拾間　空七間　借納郡稲一十一間　借納公用稲一間　借納義倉粟二間　借納官奴婢食料稲四間　借納地子一間

38 穀倉肆拾間　不動一十九間　動廿一間

39 粟穀倉壹間

40 頴倉貳拾肆間

41 鹽壹拾伍勾　不動六勾　動九勾

42 軍團稲

43 天平元年定稲壹伯玖拾壹斛捌斗貳升壹合

44 伊都郡

45 天平元年定大税稲穀伍仟參伯肆拾斛柒斗漆升柒合

46 不動貳仟捌伯參拾柒斛陸斗參升柒合柒夕

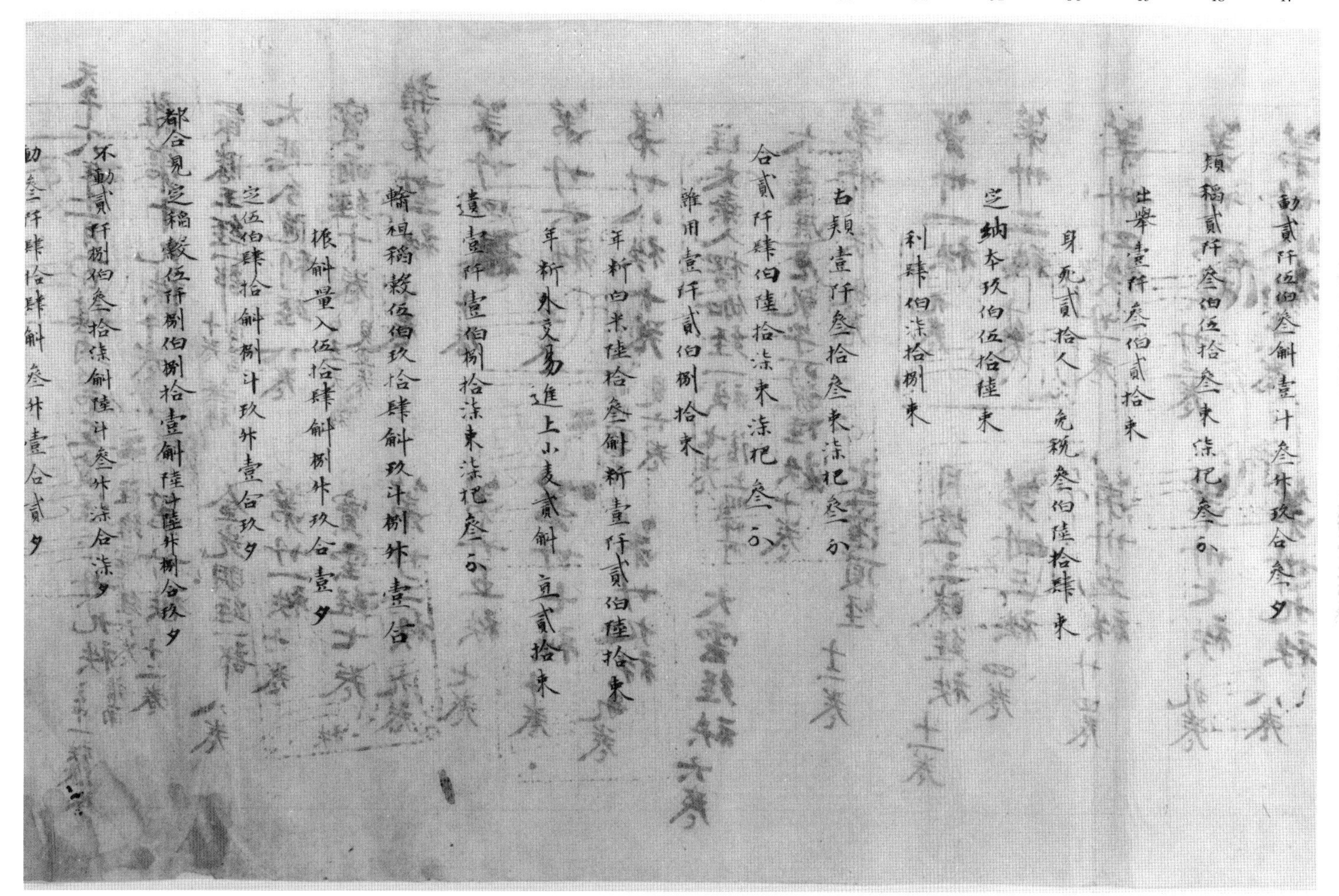
動貳阡伍伯參斛壹斗參升玖合參夕
穎稲貳阡參伯伍拾參束柒把參分
出挙壹阡參伯貳拾束
身死貳拾人　免税參伯陸拾肆束
定納本玖伯伍拾陸束
利肆伯柒拾捌束
古穎壹阡參拾參束柒把參分
合貳阡肆伯陸拾柒束柒把參分
雑用壹阡貳伯捌拾束
年料白米陸拾參斛料壹阡貳伯陸拾束
年料外交易進上小麦貳斛直貳拾束
遺壹阡壹伯捌拾柒束柒把參分
輸租稲穀伍伯玖拾肆斛玖斗捌升壹合
振斛量入伍拾肆斛捌升玖合壹夕
定伍伯肆拾斛捌斗玖升壹合玖夕
都合見定稲穀伍阡捌伯捌拾壹斛陸斗陸升捌合玖夕
不動貳阡捌伯參拾柒斛陸斗參升柒合柒夕
動參阡肆拾肆斛參升壹合貳夕

正37(5)

64 動參阡肆拾肆斛參升壹合貳夕

65 斛用壹阡陸伯束

66 年料白米陸拾捌斛　料壹阡參伯陸拾束

67 酒米壹拾壹斛　料貳伯貳拾束

68 年料外交易進上小麦貳斛　直貳拾束

69 遺捌阡陸伯玖拾玖束捌把玖分

70 輸租稲穀柒伯肆拾陸斛壹斗肆升柒合

71 帳斛量入陸拾柒斛捌斗參升壹合伍夕

72 定陸伯柒拾捌斛參斗壹升伍合伍夕

73 都合見定稲穀陸阡捌伯捌拾肆斛伍升捌合伍夕

74 不動貳阡貳伯貳拾捌斛貳斗玖升玖合陸夕

B/正37(6)

23 淡路国正税帳　天平十年度

穀壹萬壹仟參伯陸斛伍斗壹合伍夕壹撮

安曇宿祢虫麻呂与廣道交替欠穀壹仟肆

伯伍拾肆斛陸斗捌升漆合伍夕捌撮

見定穀玖仟捌伯伍拾壹斛參斗陸升參

合玖夕參撮

不動壹仟伍伯漆拾捌斛參斗壹升肆

合漆夕捌撮　糒八百十六斛九斗　一升二合二夕一撮

定壹仟肆伯陸拾壹斛肆斗貳合伍

夕漆撮

動用捌仟貳伯漆拾參斛肆斗玖合壹夕

伍撮　糒八七百五十二斛九　升五合三夕七撮

定漆仟伍伯貳拾斛玖斗伍升參合漆

夕捌撮

合定實穀捌仟玖伯捌拾貳斛參斗伍升陸

合參夕伍撮

不動穀壹仟肆伯陸拾壹斛肆斗貳合

伍夕漆撮

動用漆仟伍伯貳拾斛玖斗伍升參合

漆夕捌撮

穎稲壹拾萬伍仟伍伯肆拾漆束肆把陸分

安曇宿祢虫麻呂与廣道交替欠貳萬壹仟參伯

伍拾肆束參把貳分

定稲萬肆仟壹伯玖拾参束壹把肆分

糯伍拾参斛柒斗玖升

安曇宿祢虫麻呂白鳳道交替欠壹斛陸斗柒升

定伍拾貳斛壹斗貳升

酒肆斛貳斗陸升陸合

依恩勅賑給高年之徒穀貳伯貳拾貳斛陸斗

奉天平十年正月廿日恩勅賑給高年及鰥寡惸獨并疾病
之徒七百一十三人八十年以上一十八人人別六斗鰥八
十二人人別六斗寡八十八人人別四斗惸七十六人人
別四斗獨卌六人人別四斗篤疾五十九人人別二斗
癈疾八十二人人別二斗
疾疾二百七十人人別二斗

雑用穎伍仟陸伯捌拾肆束

酒肆斛肆斗肆合

充田並妾給米貳升充稲肆把

酒貳升

拜朝庭祭国司長官已下史生已
上合二人人別給米一升酒一升

正月十四日読経貳部 金光明経四巻 最勝王経十巻 供養雑用

料充稲参拾肆束玖把捌分

飯料米参斗貳升充稲陸束肆把

粥料米肆升貳合充稲捌把肆分

饘料米柒合充稲壹把肆分

大豆餅参拾貳枚料米陸升肆合 升別五枚

充稲壹束貳把捌分

63 62 61 60 59 58 57 56 55 54 53 52 51 50 49 48 47 46 45 44

充稲壹束貳把捌分

小豆餅参拾貳枚料米陸升肆合 外別五枚
充稲壹束貳把捌分
煎餅参拾貳枚料米陸升肆合 外別五枚
充稲壹束貳把捌分
浮餾餅参拾貳枚料米陸升肆合 外別五枚
充稲壹束貳把捌分
呉床餅参拾貳枚料米陸升肆合 外別五枚
充稲壹束貳把捌分
麦䴸参拾貳枚料米陸升肆合 外別五了
充稲壹束貳把捌分 以二把淳一升
餅交大豆参升貳合 外別十枚 充稲参把貳分 以一把淳一升
餅交小豆陸升肆合 外別五枚 充稲壹束貳把捌分 以二把淳一升
麩分大豆[illegible] 充稲[illegible]
胡麻油壹升陸
充稲壹
餡紋一
造羊料[illegible] 廿日 飼稲参
買麦[illegible] 一稲壹仟捌佰伍拾束 上馬二匹
稲各三百束中馬 五匹充稲各二百五十束

正37(12)　正37(11)

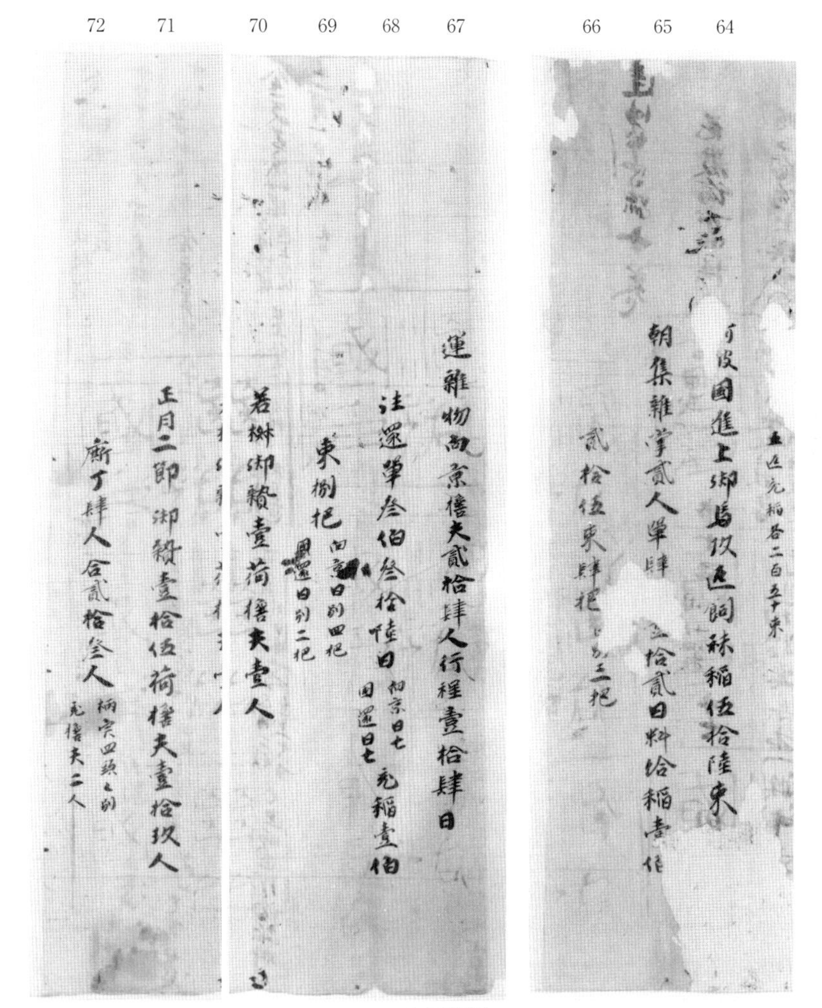

64 伊豫國進上御馬玖疋飼秣稲伍拾陸束　匹別充稲各二百五十束
65 朝集雜掌貳人單肆拾貳日料給稲壹伯
66 貳拾伍束肆把　人別三把
67 運雜物向京擔夫貳拾肆人行程壹拾肆日
68 往還單參伯參拾陸日　向京日七　回還日七　充稲壹伯
69 束捌把　向京日別四把　回還日別二把
70 若榊御贄壹荷擔夫壹人
71 正月三節御贄壹拾伍荷擔夫壹拾玖人
72 廝丁肆人合貳拾參人　猪宍四頭人別　充擔夫二人

A/正37(7)

24 伊予国正税出挙帳　天平八年度

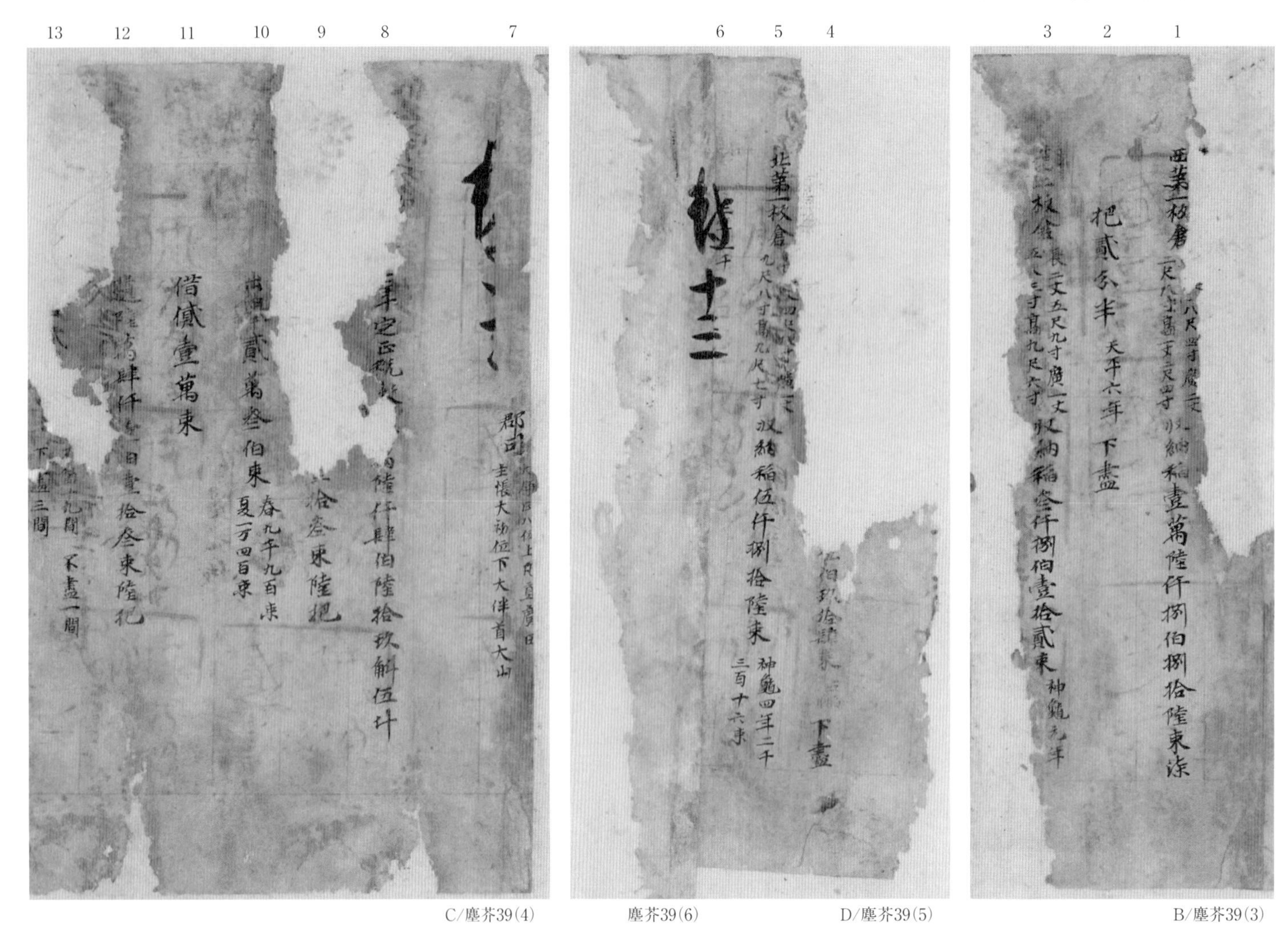

C/塵芥39(4)　　塵芥39(6)　　D/塵芥39(5)　　B/塵芥39(3)

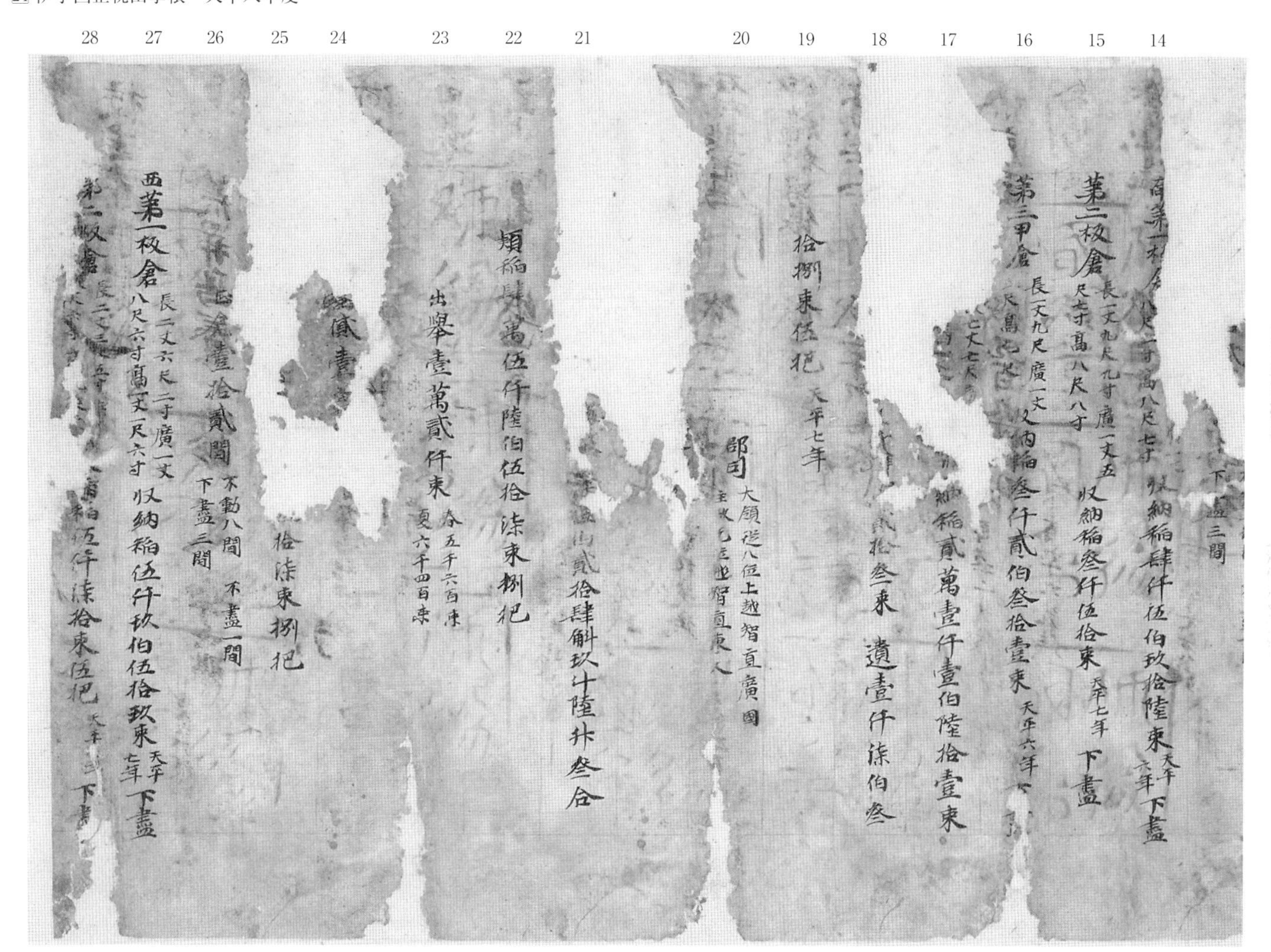
28
27
26
25
24
23
22
21
20
19
18
17
16
15
14

34　33　32　31　30　29

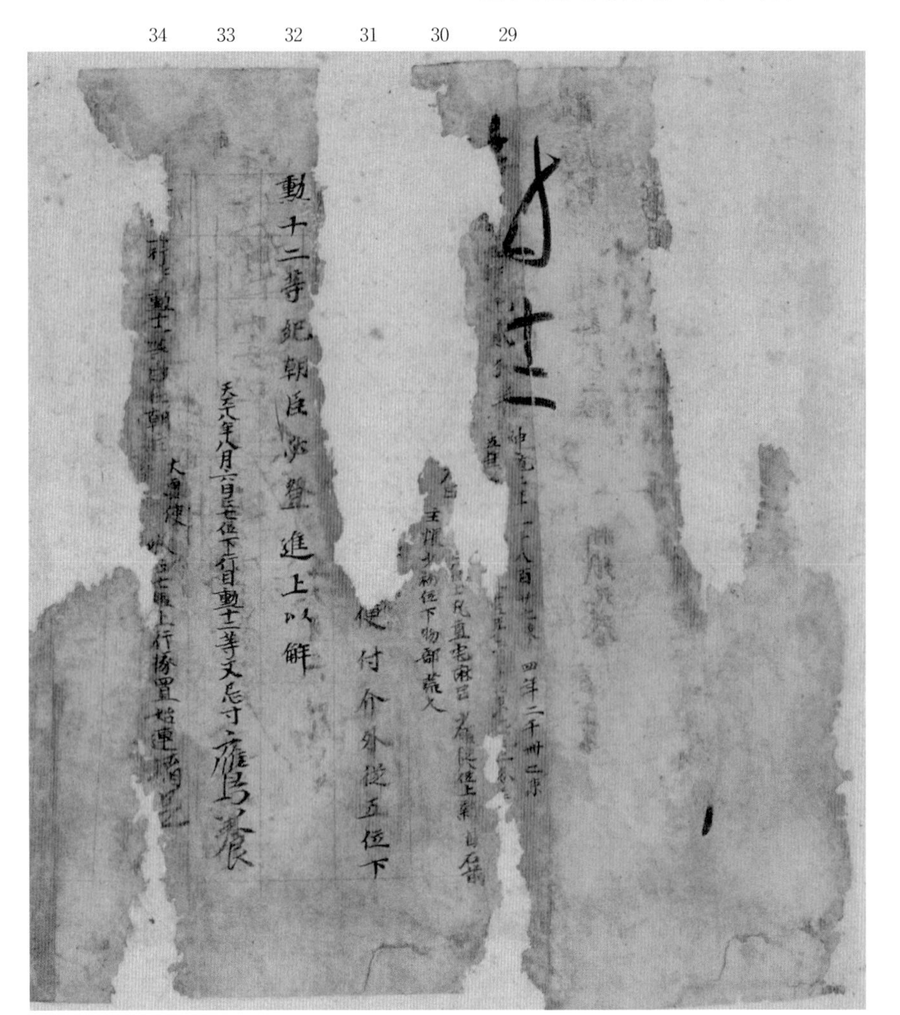

塵芥39(2)　A/塵芥39(1)

25 筑後国正税帳　天平十年度

21 20 19 18 17 16 15 14 13 12 11 10 9 8 7 6 5 4 3 2 1

[illegible]

賣官馬牛皮入府多褹嶋人貳拾捌人還歸本

嶋　廿五日　單柒伯人食稲貳伯捌拾束　人別四把

得度者還歸本嶋多褹嶋僧貳軀　廿五日　單

伍拾人食稲貳拾束　人別四把

為貢上御贄甞竹工柒人　二人々別役廿三日　二人々別役廿二日　二人々別役廿一日

一人役十四日　單壹伯肆拾陸人給酒直稲柒拾参束　人別五把

府雜用料舂稲伍伯束

依勅還郷防人起筑紫大津迄備前児嶋十箇

日粮舂稲壹仟伍伯肆拾捌束

料水手貳人食稲捌拾束

依式部省天平九年十月五日符寺家封戸田祖

代輕細壹仟玖伯壹拾捌束伍把

浮囚陸拾貳人　卌八人起天平十年四月廿六日盡十二月卌日并二百七十日　三人起四月廿六日

盡十二月三日并二百卌三日　七人起四月廿六日盡十一月九日并二百廿日　四人起四月廿六日盡十一月二日并二百十三日

惣單壹萬陸仟捌拾壹人食稲参仟貳

伯壹拾陸束貳把　人別二把

買料木塩壹拾陸斛捌斗壹合　人別一合　直稲

壹伯陸拾束捌把壹升　以一束充一升

為貢上造銅竈工功備給稲参拾玖束貳把

貢上造轆轤雜工参人　二人々別役十九日半　一人役四日　單肆参[illegible]

人給功直稲伍拾束　卅九人々別一束二把

22 人給功直稲伍拾束 卅九人〻別一束二把 四人〻別八把
23 貢上鷹養人参拾人起天平十年六月一日
24 盡九月廿九日并壹伯肆拾柒日単肆仟
25 肆伯壹拾人食稲捌伯捌拾貳束 人別二把
26 貢上犬壹拾伍頭起六月一日盡九月廿九日并
27 一百卅七日単貳仟貳伯伍頭食稲肆伯肆
28 拾壹束 犬別二把
29 依太政官天平十年七月十一日符買白玉壹伯壹拾
30 参枚直稲柒拾壹束壹把壹分
31 紺玉柒伯壹枚直稲肆拾壹束壹把捌分
32 縹玉玖伯参拾参枚直稲肆拾柒束柒把捌分
33 緑玉肆拾貳枚直稲参束壹把柒分
34 赤勾玉柒枚直稲壹拾陸束捌把
35 丸玉壹枚直稲壹把貳分
36 竹玉貳枚直稲参把肆分
37 勾縹玉壹枚直稲壹束捌把

26 豊後国正税帳　天平九年度

都合壹拾玖間

動用三間　頴稲納八間

大領外正七位上勲九等日下部連吉嶋

少領外従七位上勲十等日下部君大國

主帳外少初位上勲十等日下部君

球珠郡

天平八年定正税稲穀壹萬柒仟貳伯貳拾斛陸斗捌升

貳合貳夕

擬振量定壹萬叁仟叁伯陸拾叁斛捌斗叁升玖

合陸夕　振入一千二百十四斛八斗九升三合七夕

定實壹萬貳仟壹伯肆拾捌斛玖斗肆升伍合

玖夕

振量未勘叁仟捌伯伍拾陸斛捌斗肆升貳合陸

夕　振入三百五十斛　六十二升一合九夕

定實叁仟伍伯陸斛貳斗貳升柒夕

合定實壹萬伍仟陸伯伍拾伍斛壹斗陸升陸合陸夕

不動壹萬壹仟陸伯伍拾貳斛壹斗捌升壹合

捌夕

動用肆仟貳斛玖斗捌升肆合捌夕

振量未勘粟貳伯貳拾捌斛伍斗陸升壹合貳夕　振入廿

斛七斗七升　八合二夕

定實貳伯柒斛柒斗捌升叁合

定賃貳伯漆斛漆斗捌升参合

22 穎稲漆萬参仟捌伯伍束貳把捌分

23 糯壹仟陸拾貳斛

24 酒壹拾玖斛肆合

25 醤参斛壹斗伍升

26 醢漆斛伍斗

27 雑用壹仟参伯壹拾参束漆把　穀十九斛二斗　穎稲一千一百廿一束七把

28 酒肆斗壹升陸合

29 依五月十九日恩勅賑給高年幷鰥寡之徒合肆

30 拾捌人振量未穀稲穀壹拾玖斛貳斗　人別四斗

31 国司巡行部内合壹拾肆度惣単壹伯壹拾捌人上参

32 拾捌人　目以上廿五人　史生十三人　従捌拾人食稲参拾玖束貳把　上人別四把

33 従三把　酒参斗伍升肆合　目以上人別一升　史生人別八合

34 参度正税出挙幷収納　一度守一人従三人幷四人五日　二度掾一人従二人幷三人六日　単参

35 拾捌人上壹拾壹人　掾以上　従貳拾漆人

36 参度賑給貧病人幷高年之徒　一度守一人従三人　一度掾一人従二人　一度史生一人従一人幷

37 九人五日　二日　単壹拾捌人上陸人　掾以上四人　史生二人　従壹拾貳人

38 壹度随府使賑給貧病人　守一人従三人史生一人　従一人幷六人三日　単壹拾捌

39 人上陸人　守三人　史生三人　従壹拾貳人

40 壹度蒋営紫草園　守一人従三人　幷四人二日　単捌人上貳人　守　従

41 陸人

42 壹度責計帳手実　史生一人従一人　幷二人三日　単陸人上参人　史生

43 從參人

44 壹度隨府使檢校紫草園　守一人従三人 并四人一日　單肆人上壹人

45 守従參人

46 壹度收庸　史生一人従一人 并二人三日　單陸人上參人　史生従參人

47 壹度檢田熟不　史生一人従一人 并二人二日　單肆人上貳人　二史生従貳

48 人

49 壹度堀紫草根　守一人従三人 并四人二日　單捌人上貳人　守従陸

50 人

51 壹度問伯姓消息　守一人従三人 并四人二日　單捌人上貳人　守従陸

52 人

53 往来傳使合頭參人　一人三日 二人一日　従漆人　六人三日 一人一日　惣單貳拾陸人

54 頭已人　従十九人　食稲捌束伍把　頭四把 従三把　酒陸升貳合　三人別一升

55 四人別八合

56 買胡麻子參斛肆斗肆升　直稲壹漆拾肆束　升別二

57 儲病料舂稲玖伯束

58 出擧陸仟貳伯壹拾貳束　死伯姓五十六人免給稲一千八百五十束

59 定納本肆仟參伯陸拾貳束

60 利貳仟壹伯捌拾壹束

61 合應納陸仟伍伯肆拾參束

62 見納肆仟玖拾捌束

63 未納貳仟肆伯肆拾伍束

64　國司借貸肆仟伍伯束

65　遺稲穀壹萬柒仟貳伯壹斛肆斗捌升貳合貳夕

66　頴稲陸萬壹仟玖伯柒拾壹束伍把捌分

67　從國埼郡来納粟伍拾壹斛陸斗伍升捌合捌勺　振入四斛

68　七斗九升六合二夕

69　定實肆拾陸斛玖斗陸升貳合陸夕

70　從速見郡来納稲穀玖拾陸斛貳斗伍升柒合肆夕　振入八斛七斗五升六合

71　定實捌拾柒斛伍斗陸合捌夕

72　天平五年小償壹仟肆伯捌拾肆束伍分

73　天平六年未償壹仟柒伯玖拾叁束伍把　並依恩勅放免

74　都合穀壹萬柒仟貳伯玖拾柒斛柒斗叁升玖合陸夕

75　振入一千五百七十二斛五斗一升九合七夕

76　定實壹萬伍仟柒伯貳拾伍斛貳斗壹升玖合玖夕

77　雖振量定壹萬叁仟叁伯陸拾叁斛捌斗叁升玖合

78　陸夕　振入一千二百十四斛八斗九升三合七夕

79　定實壹萬貳仟壹伯肆拾捌斛玖斗肆升伍合玖

80　夕

81　振量未畢叁仟玖伯叁拾叁斛玖斗　振入三百五十七斛六斗二升六合

82　定實叁仟伍伯柒拾陸斛貳斗柒升肆合

83　合定實壹萬伍仟柒伯貳拾伍斛貳斗壹升玖合玖夕

84　不動壹萬壹仟陸伯伍拾貳斛壹斗捌升壹合

103 直入郡

102 主帳外大初位下勲十等生部宮立

101 領外従八位上勲九等国前臣龍麻呂

100 都合壹拾玖間　不動倉五間　動用五間　穂倉二間　穎稲納倉七間

99 借屋壹間　草屋一間

98 義倉為正税倉壹間　板倉

97 正倉壹拾柒間　板倉十二間　丸倉一間　塗壁屋三間　草屋一間

96 甕壹口　小甕

95 酢柒斛伍斗

94 甕壹口　小甕

93 醤參斛壹斗伍升

92 甕肆口　大甕二口　中甕一口　小甕一口

91 酒壹拾捌斛伍斗捌升捌合

90 糒壹仟陸拾貳斛　養老二年以前四百六十二斛　天平六年六百斛

89 穎稲柒萬伍伯陸拾玖束伍把捌分

88 定貳伯伍拾肆斛柒斗肆升陸合

87 振量未納穀貳伯捌拾斛貳斗貳升　佰八廿五斛四十七升四合

86 動用肆仟柒拾參斛參斗捌合壹夕

85 捌夕

104 天平八年定正税穀漆仟捌伯伍拾貳斛玖斗伍升貳合
105 肆夕
106 賑振量定肆仟捌伯陸斛壹斗玖升陸合漆夕　振入四百卅六
107 斛九斗二升六合八夕
108 定實肆仟參伯陸拾玖斛貳斗陸升玖合玖夕
109 振量未賑參仟肆拾陸斛漆斗伍升伍合漆夕　振入二百七十六斛九
110 斗七升七合六夕
111 定實貳仟漆伯陸拾玖斛漆斗漆升捌合壹夕
112 合定實漆仟壹伯參拾玖斛肆升捌合
113 不動參仟貳伯玖拾貳斛壹斗漆升玖合
114 動用參仟捌伯肆拾陸斛捌斗陸升玖合
115 振量未賑粟貳伯參拾參斛漆斗參升壹夕
116 振入廿三斛二斗四升八合一夕
117 定實貳伯壹拾貳斛肆斗捌升貳合
118 頴稲漆萬陸仟玖伯玖拾參束肆分
119 糯陸伯參拾斛壹斗貳升
120 酒參拾參斛肆斗壹升伍夕
121 醤伍斛伍斗捌升
122 酢漆斛伍斗
123 雜用肆伯貳拾參束壹把　被升斛四斗頴稲一百十九束一把
124 酒伍斗壹升貳合

以五月十九日恩勅賑給高年并鰥寡…

正42(6)

125　126　127　128　129　130　131　132　133　134　135　136　137　138　139　140　141　142　143　144　145　146

依五月十九日恩勅賑給高年并鰥寡乏徒合漆
拾陸人　粮量赤穀稲穀参拾斛肆斗人別四斗
國司巡行部内合壹拾伍度惣單壹伯貳拾貳人上肆拾
人目以上廿五人 史生十五人　従捌拾貳人　食稲肆拾束陸把上人別四把 従人別把
酒参斗柒升目以上人別一升 史生人別八合
参度匠税出挙并収納一度守一人従三人并四人五日 二度掾一人従二人并三人六日
單参拾捌人上壹拾壹人掾以上　従貳拾柒人
参度賑給貧病人并高年之徒一度守一人従三人一度掾 一人従二人一度史生一人
従一人并九人 参日
單壹拾捌人上陸人掾以上四人 史生二人　従壹拾貳人
壹度随府使賑給貧病人守一人従三人史生一人従一人 并六人三日
單壹拾捌人上陸人守三人 史生三人　従壹拾貳人
壹度蒔營紫草園守一人従三人 并四人二日
單捌人上貳人守 従
陸人
壹度責計帳手實史生一人従一人 并二人三日
單陸人上参人史生 従参人
壹度随府使検校紫草園守一人従三人 并四人一日
單肆人
上壹人守 従参人
壹度検校牧馬史生一人従一人 并二人二日
單肆人上貳人史生 従
貳人
壹度収庸史生一人従一人 并二人三日
單陸人上参人史生 従参人
壹度検田熟不史生一人従一人 并二人二日
單肆人上貳人史生 従
貳人
壹度堀紫草根守一人 従三人
單捌人上貳人守 従陸人

147　壹度堀紫草根（守一人 従三人 / 廿四人二日）單捌人上貳人（守）従陸人

148　壹度閲伯姓消息（守一人 従三人 / 廿四人二日）單捌人上貳人（守）

149　従陸人

150　往来傳使合頭参人（二人三日 / 一人一日）従漆人（六人三日 / 一人一日）惣單貳拾

151　陸人（頭七人 / 従十九人）食稲捌束伍把（頭四把 / 従三把）酒陸升貳合

152　（三人別一升 / 四人別八合）

153　新醸酒伍斛料稲漆拾束（斛別十四束）

154　乾附子壹斗用酒捌升

155　移去納大野郡粟伍拾玖斛漆斗漆升壹合

156　出挙肆仟伍伯参拾陸束（廿束）（死伯姓七十三人 免給稲一千四百）

157　定納本参仟壹伯壹拾陸束

158　利壹仟伍伯伍拾捌束

159　合應納肆仟陸伯漆拾肆束

160　見納貳仟漆伯肆束

161　穎禾壹仟貳伯束

162　未納壹仟玖伯漆拾束

163　國司借貸肆仟束

164　穎禾貳仟伍伯玖拾陸束

165　穎稲壹仟肆伯肆束

166　遺穎稲陸萬捌仟参伯参拾漆束玖把肆分

167　天平五年未償伍仟漆伯漆拾壹束伍把陸分

168　天平六年未償壹仟漆伯壹拾参束（並依恩勅放免）

170 頴稲壹拾貳萬陸仟伍伯捌束壹把玖分

171 糯壹仟參伯伍拾貳斛參斗漆升

172 酒貳拾貳斛貳斗玖升捌合

173 醬伍斛漆斗

174 酢漆斛伍斗

175 雜用捌伯參拾玖束漆把　穀卅九斛六斗　頴稲四百卅三束七把

176 酒肆斗玖升陸合

177 依五月十九日　恩勅賑給高年并鰥寡之徒合玖拾

178 玖人　振量小穀稲穀參拾玖斛陸斗　人別四斗

179 國司巡行部内合壹拾肆度惣單壹伯壹拾捌人上

180 參拾捌人　目以上廿五人　史生十三人　從捌拾人食稲參拾玖束貳把

181 上人別四把　從人別三把　酒參斗伍升肆合　目以上人別一升　史生人別八合

182 參度正税出擧并収納　二度守一人從三人并四人五日　一度掾一人從二人并三人六日　單

183 參拾捌人上壹拾壹人　掾以上　從貳拾漆人

184 參度賑給貧病人并高年之徒　一度守一人從三人　一度掾一人從二人　一度史生

185 一人從一人并九人　單壹拾捌人上陸人　掾以上四人　史生二人

186 壹拾貳人

187 壹度随府使賑給貧病人　守一人從三人史生一人從一人并六人三日

188 單壹拾捌人上陸人　守三人　史生三人　從壹拾貳人

189 壹度蒔營紫草園　守一人從三人并四人二日　單捌人上貳人

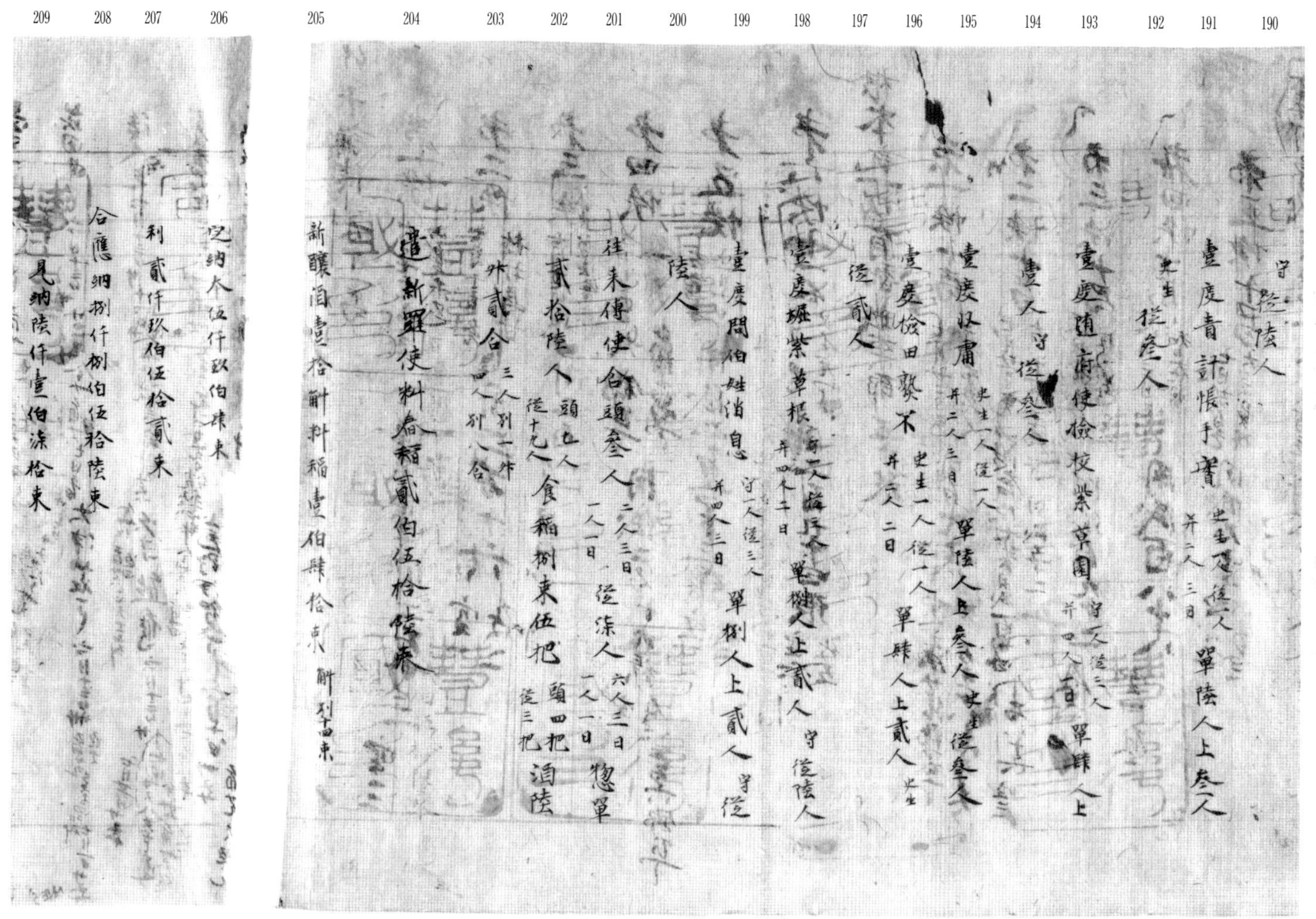
209
208
207
206
205
204
203
202
201
200
199
198
197
196
195
194
193
192
191
190

B/正42(8)

正42(12)

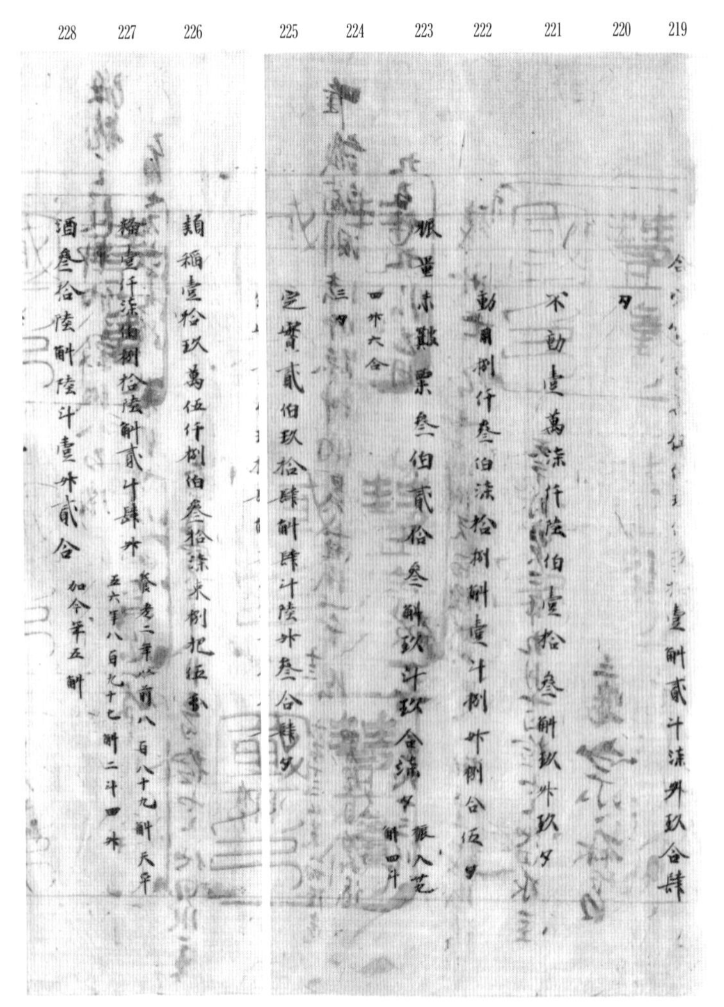

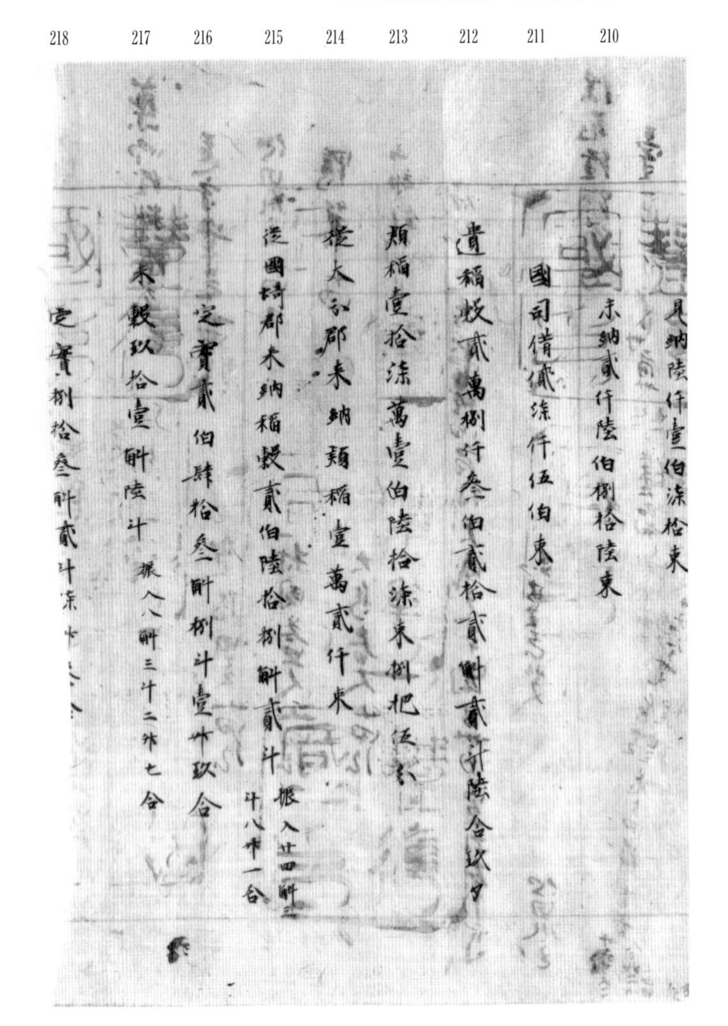

C/正42(9)

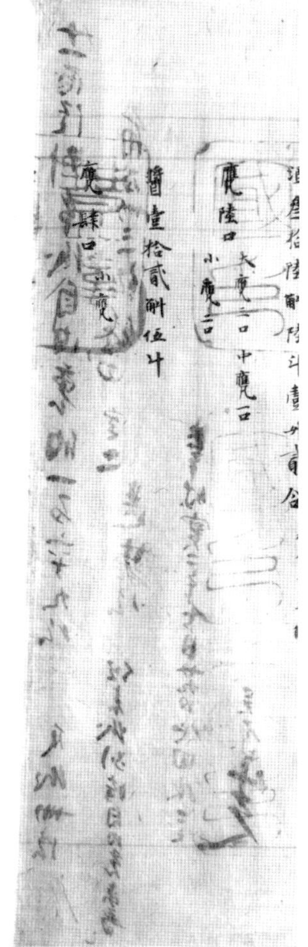

229 鹿陸口 大鹿三口 中鹿一口 小鹿二口

230 稲壹拾貳斛伍斗

231 鹿肆口 小鹿

27 薩摩国正税帳　天平八年度

1 酒[illegible]

2 天平四年未償捌伯伍拾肆束伍把　死伯姓二人 免給稲卅三束

3 徴納捌伯貳拾壹束伍把

4 都合穀振量定稲穀漆伯参拾壹斛陸斗肆升　振入六十六斛五斗一升二合

5 定實陸伯陸拾伍斛壹斗貳升捌合　動用

6 穀振量定粟穀壹伯壹拾肆斛壹斗　振入一十斛三斗七升二合七夕

7 定實壹伯参斛漆斗貳升漆合参夕

8 頴稲伍萬捌伯肆拾束捌把

9 頴粟漆伯伍拾伍束参把拾分把之玖

10 糒壹仟伍伯肆斛参斗壹升　養老四年

11 酒壹拾斛漆斗肆升参合

12 正倉壹拾貳間　正倉一十間 借倉二間　並構木倉

13 新造壹間　構木倉　借屋貳間

14 合壹拾伍間　動用一間 糒納一間 頴稲納一十三間

15 大領外正六位下勲七等肥君　病

16 少領外従八位下勲七等五百木部　死

17 主政外少初位上勲十等大伴部足床

18 主帳无位大伴部福足

19 八升斛別入一升
20 定穀壹仟貳伯玖拾肆斛捌斗貳升　不動
21 穀振量定穀肆伯參拾陸斛玖斗參升　振入卅九斛 七斗二升九夕
22 定實參伯玖拾柒斛貳斗玖合壹夕
23 穎稻參萬柒仟陸伯柒束捌把拾分把之玖
24 穎粟參仟參伯貳拾陸束陸把拾分把之壹
25 糙壹仟貳伯陸拾壹斛　養老四年
26 塩漆斛漆斗參升玖夕
27 酒肆拾伍斛伍斗伍升漆合
28 雜用穎稻肆仟漆伯貳拾漆束捌把拾分把之肆
29 酒壹拾陸斛貳斗漆升漆合　先年八十二郡六斛九斗一升八合　當郡九斛三斗五升九合
30 依例正月十四日讀八卷金光明経并十卷金光明
31 最勝王經佛聖僧及讀僧一十一軀合一十三
32 軀供養料稻貳拾束伍把拾分把之肆　軀別稻束五把八分
33 當國僧合一十一軀　日一軀一百一十三　惣單參仟玖伯伍
34 拾參人供養料稻壹仟伍伯捌拾壹束貳把　僧別四把
35 春秋釋奠料稻玖拾貳束　先聖先師并四座
36 稻壹束陸把　座別四把　國司以下學生以上惣
37 七十二人　食稻壹拾肆束肆把　人別二把　脯參拾壹斤
38 並稻參拾壹束　鰒參拾陸斤　直稻參
39 拾陸束　斤別　雜腊壹斗伍升　直稻陸束　升別　五合　先聖先師座別一升
40 雜菓并參斗　直稻參束　斗別一束　酒捌斗　國司以下人別一升

61　60　59　58　57　56　55　54　53　52　51　50　49　48　47　46　45　44　43　42　41

正43(8)

正43(7)

新任國司史生正八位上勲十二等韓䓤受郎 従一人 并二人 一人〻別八合
起七月廿七日盡十月廿九日合玖拾貳日 單壹伯
捌拾肆人 食稲漆拾參束壹把 自七月廿七日至八月廿九日合卅三日依國司部内
巡行食法日別充七把九月十月并二箇月 依公二斛食法日別充廿五束 酒貳斗陸升肆合
運府甘葛煎擔夫參人 十九日 惣單伍拾漆人 食稲
壹拾漆束肆把 三人十日人別日四把 二人九日人別日二把
運府兵器料鹿皮擔夫捌人 十九日 惣單壹伯伍拾
貳人 食稲肆拾陸束肆把 八人十日人別日四把八人 九日人別日三把
運府筆料鹿皮擔夫貳人 十九日 惣單參拾捌人
食稲壹拾壹束陸把 二人十日人別日四把 二人九日人別日二把

人粮給稲陸伯肆拾束捌把 一千五百卅五人〻別四把卒四人〻別二把
國司筆料稲壹仟伍伯束
遣唐使第二船供給頴稲漆拾伍束陸把
酒伍斛參升
疾病人壹伯肆拾捌人給薬酒漆斗參升貳合 卅人別六合卒八人別五 合卅八人〻別四合
醸酒料稲貳伯參拾捌束 得酒壹拾漆斛
出擧壹萬壹伯束 死伯姓一千一人 免給稲一百卅五束
定納李玖仟玖伯陸拾伍束 利肆仟陸伯捌拾貳束伍把
合壹萬肆仟玖伯肆拾漆束伍把

82 国司借貸肆仟玖伯束

83 遺壹萬柒仟捌伯捌拾束捌分把之伍

84 酒貳拾玖斛貳斗捌升

85 天平四年未償壹仟玖伯捌拾玖束伍把　死伯姓二人　免給稲本一束

86 徴納壹仟玖伯參拾捌束伍把

87 都合穀振量定稲穀壹仟肆伯貳拾肆斛參斗　振入一百廿九斛四斗　八升斛別入一升

88 定實壹仟貳伯玖拾肆斛捌斗貳升　不動

89 穀振量定粟穀肆伯參拾陸斛玖斗參升　振入卅九斛七斗　二升九夕

90 定實參伯玖拾柒斛貳斗玖合壹夕

91 穎稲參萬玖仟陸伯陸拾陸束捌分把之伍

92 穎粟參仟參伯貳拾陸束陸把捌分把之壹

93 粭壹仟貳伯陸拾壹斛　養老四年

94 塩柒斛柒斗參升玖夕

95 酒肆拾陸斛貳斗捌升

96 鹿壹拾柒口　大鹿一口　中鹿七口　小鹿九口

97 正倉玖間　並櫓木倉　借屋壹間

98 合壹拾間　不動一間　動用一間　穎納一間

99 死馬皮參領　賣直稲參拾束　領別十束

100 天平四年未償壹仟貳伯肆拾伍束伍把　死伯姓一人　免給稲本一束

徴納壹仟壹伯玖拾肆束伍把

都合穀振量定稲穀叁伯玖拾壹斛　振入卅五斛五斗四升五合

定實叁伯伍拾伍斛肆斗伍升伍合　動用

頴稲壹萬柒仟陸伯壹拾肆束玖把

正倉伍間　並檪木倉　借屋壹間

合陸間　動用一間　頴稲納五間

大領外従六位下薩麻君福志麻呂

少領外正七位下勲八等前君乎佐

主政外少初位薩麻君守志々

主帳外少初位上勲十二等肥君廣龍

主帳外少初位下勲十等曽縣主麻多

（228頁）

主政外少初位上勲十等加士伎縣主都麻理

主帳无位遠部神嶋

主帳无位薩麻君須加

河邊郡

天平七年定正税頴稲貳仟陸伯玖拾束肆把

雑用壹伯捌拾柒束肆把

112　120　119

透過光写真　続々修三十五帙巻六背　第10紙

翻刻・影印　天平諸国正税帳〔影印編〕

2024年11月1日　初版第一刷発行　二冊組　定価（本体15,000円＋税）

編者　鈴木靖民
　　　佐藤長門

発行所　株式会社　八木書店出版部
代表　八木乾二
〒101-0052 東京都千代田区神田小川町3-8
電話 03-3291-2969（編集）-6300（FAX）

発売元　株式会社　八木書店
〒101-0052 東京都千代田区神田小川町3-8
電話 03-3291-2961（営業）-6300（FAX）
https://catalogue.books-yagi.co.jp/
E-mail pub@books-yagi.co.jp

印刷　精興社
製本　牧製本印刷
用紙　中性紙使用

ISBN978-4-8406-2280-6〔影印編〕